18.95

Madeleine Gagnon

La Graduation des Temps

Kryeon

De nouvelles informations
pour la paix de l'âme

ARIANE ÉDITIONS

L'opinion des lecteurs...

«...Chaque mot m'a touché directement au coeur. Ces pages ont assurément contribué largement à l'éveil du Christ en moi.»

DH - Fountain of Life Institute - 11/91, Hawaii

«...Mon exaltation grandissait à chaque page, à tel point que je n'ai pu penser à rien d'autre dès le moment où j'ai commencé ma lecture.»

RIG -12/92, Canada

«...Je suis très impressionné par le contenu. Merci d'avoir publié ce livre! J'ai l'impression que les enseignements de Kryeon m'ont en quelque sorte sauvé la vie. Je vous suis extrêmement reconnaissant d'avoir accepté de recevoir cette information et de nous la transmettre.»

CF - 10/92, Nouveau Mexique

«Vous trouverez ci-joint un chèque pour votre livre. Je ne sais même pas de quoi il traite. Deux de mes bons amis m'ont cependant téléphoné, l'un de San Francisco et l'autre de Washington D.C., pour me recommander de me le procurer et de le lire. Alors, voilà...»

MB - 2/93, Iowa City, IA

«...J'ai lu le livre et j'ai vraiment ressenti son message en mon âme! Ce me semble être :
* un channelling fidèle
* une information véridique
* un enseignement très approprié à ce qui se passe présentement sur notre planète.

J'ai été tellement ému par votre livre que je me propose de m'en procurer quelques copies pour les offrir à mes amis. C'est un livre que je n'arrivais pas à laisser de côté.»

Iasos
Artiste sur la scène internationale, composition, arrangement et enregistrement
Récipiendaire du Prix Cristal 1990 - Conférence internationale de musique du Nouvel Âge
Musique inter-dimensionnelle
2/93, Sausalito, CA

«Lee Caroll est un véhicule de transmission vierge et pur pour le message de joie et d'immense amour transmis par Kryeon. Son épouse, Jan, et lui-même nous ont offert un cadeau béni en mettant ces précieux enseignements à la disposition des habitants de la planète Terre.»

Suzanne Scott Shaffer
Fondatrice de Aha! Séances de channelling avec Jean-Baptiste
1/93, Washington

Titre anglais original : **Kryon : The end times**
© 1993 Lee Carroll
1155 Camino Del Mar - #422
Del Mar, California 92014 U.S.A.

© 1996 pour l'édition française
Ariane Éditions Inc.
1209, Avenue Bernard ouest, bureau 110,
Outremont, Qc., Canada H2V 1V7
(514) 276-2949 * FAX : 276-4121

Typographie et mise en page : Ariane Éditions
Traduction : Marielle Bouchard
Révision : Jeanne Barry
Conception de la page couverture : Ariane Éditions
Graphisme : Carl Lemyre

Première impression : mai 1996
Deuxième impression : février 1997

ISBN 2-920987-17-8

Dépôt légal : 2e trimestre 1996
Bibliothèque nationale du Québec
Bibliothèque nationale du Canada
Bibliothèque nationale de Paris

Diffusion
Québec : L'Art de S'apprivoiser - (514) 929-0296
France : Messagers de l'Éveil - 05.53.50.76.31
Belgique : Rabelais - 22.18.73.65
Suisse : Transat - 23.42.77.40

Imprimé au Canada

Avant-propos...

Au moment où la planète Terre se prépare à vivre une période de transformation et de changement dimensionnel, il est important de se rappeler que l'Univers (que l'on connaît sous le nom de Dieu) ne nous abandonnera jamais. L'une des façons utilisées par la Source pour partager son amour avec nous est de nous transmettre des informations en provenance d'Intelligences supérieures via des Enseignants qui s'incarnent. Une autre façon utilisée est d'avoir des Enseignants canalisés à travers des individus au *cœur* sûr, et dont on est assuré qu'ils ne déformeront pas les précieuses informations reçues ni ne les modifieront ou les utiliseront à mauvais escient. L'information ainsi transmise nous aide alors à mieux comprendre et à apporter à l'intérieur de nous-mêmes les changements nécessaires dans la grâce et la sagesse.

Les messages de Kryeon en ces *temps de changements* sont stimulants et merveilleusement transmis dans un amour inconditionnel. Je connais personnellement Lee Caroll et Kryeon et je les respecte beaucoup. Lee est un être loyal et dévoué. Il est un canal sûr pour transmettre les messages de Kryeon. Je travaille dans le domaine métaphysique et j'enseigne cette matière depuis 25 ans. Je trouve que l'information transmise par Lee est très claire et qu'elle suscite la réflexion. Elle est en outre très pertinente dans ce monde en évolution. En lisant ces lignes, vous vous sentirez remplis de l'énergie d'amour de Kryeon. J'inclus les textes de Kryeon à la liste des lectures que je recommande à mes élèves et je m'en sers comme outil de réflexion en classe. C'est donc avec beaucoup d'enthousiasme que j'attends de connaître la suite des informations de Kryeon et de lire les futures publications de Lee Caroll.

Barbra Dillenger, MscD

Table des Matières

Rencontrez Kryeon (Chapitre Un)   **5**
Qui suis-je?   12
Qui êtes-vous?   14
Pourquoi suis-je ici?   20
À propos de la fin des temps   28
La connexion qu'est l'Amour   36
La transmutation   37
Enseignants   38
La guérison   40
Expérimentez votre cadeau   41

La nouvelle énergie (Chapitre Deux)   **45**
Synchronisation et pouvoir   47
Les utilisateurs de systèmes   48
Les non-utilisateurs de systèmes   52
Pour ceux qui sont entre les deux   53
Un magnifique nouveau pouvoir   54
Pourquoi ne le voudriez-vous pas?   59
Adaptation et aide   67
Et si vous échouez   73
Quel est votre chemin maintenant?   74
Comment utiliser le pouvoir?   77
Les nouvelles vibrations   79
C'est pour tout le monde   80
La nouvelle attitude   82

La première transmission en direct (Chap. Trois) **91**
Confidences de l'auteur   91

Les réponses de Kryeon (Chapitre Quatre)   **117**
Le partenariat avec la Terre   121
Lisez bien cette information   131

Guérison et maladie (Chapitre Cinq)   **149**
Guérir dans la nouvelle énergie   152
Changer l'organisme de la maladie   157

Jésus-Christ (Chapitre Six)   **161**
Le système de croyance métaphysique
brièvement résumé   170
«L'invisible»   180
Quelques mots à propos de
l'enseignement de Jésus   183
Résumé du chapitre   187

Récapitulation de l'auteur (Chapitre Sept)   **193**
Faire appel à l'implant neutre   194
Communiquer avec l'univers   195
Empreintes et implants   199
Ce dont on n'a pas encore parlé   204

Le nouveau cadeau de l'Esprit (Chap. Huit)   **207**
Lettres des lecteurs de Kryeon sur l'implant   221

UN

Rencontrez Kryeon

Début des transmissions

UN MOT DE L'AUTEUR...

Les quelques pages qui suivent pourraient contenir les éclaircissements les plus intéressants que vous ayez jamais reçus à ce jour sur le déroulement des événements. Elles nous sont transmises par l'entité qui s'est révélée à moi sous le nom de *Kryeon*. En tant que transcripteur du message reçu en channelling, j'ai eu l'extraordinaire privilège de mettre sur papier l'enseignement de Kryeon. Je connais Kryeon depuis un certain temps mais je l'ai, généralement, complètement ignoré. Il a fallu deux médiums, inconnus l'un de l'autre, et trois ans d'intervalle pour que j'arrive finalement à prononcer publiquement son nom et à reconnaître qu'il était une entité importante. Je me suis alors humblement assis devant mon ordinateur et j'ai entrepris de transcrire le message de Kryeon à l'intention de nous tous.

De prime abord, Kryeon nous a offert un regard rempli d'amour sur un sujet d'importance : celui de Jésus-Christ, qui Il est en réalité... et un excellent résumé du système de croyances métaphysiques (voir le chapitre 6 de ce livre). Kryeon nous a même transmis une nouvelle interprétation des Saintes Écritures... que j'ai failli ne pas transcrire tellement j'étais saisi de son audace! (J'avais en outre peur que la foudre me tombe sur la tête à tout moment... de toute évidence une influence culturelle). Kryeon s'adresse directement aux humains du monde occidental à travers ces écrits et il semble établir un rapport avec ce que nous vivons personnellement aujourd'hui.

Il me répète d'être calme et d'écrire, de ne pas me plaindre des informations que je recueille... et de ne pas m'inquiéter de ce que les autres pourraient penser (Kryeon est très pratique et direct dans ses propos). Il me rappelle fréquemment que j'ai un contrat à respecter avec lui et que nous avons travaillé ensemble dans le passé. Je n'ai évidemment aucun souvenir conscient de ce à quoi il fait allusion. Je suis en fait très terre à terre... et très sceptique sur à peu près tout tant qu'on ne me tape pas suffisamment longtemps sur la tête... comme Kryeon l'a fait. Croyez-moi, c'est une expérience tout à fait nouvelle pour moi. Je suis un homme d'affaires qui n'a jamais *canalisé* autre chose que son poste de télévision depuis 45 ans. Et voilà ce qui m'arrive! Je dois transmettre au monde un message urgent et important qui est à la fois rempli d'amour de la part de cette entité élevée qui se situe derrière le voile (selon les termes de Kryeon).

Ces écrits s'adressent à ceux qui s'intéressent le plus au domaine de la métaphysique. Kryeon souhaite vous parler de ce qui se passe de l'autre côté du voile, vous révéler son identité, le but de son intervention et parler un peu des changements à venir sur la Terre. Kryeon n'aime pas en outre qu'on lui accorde un sexe, mais je ne peux me résoudre à considérer une entité comme une chose, ni contracter les pronoms «il» et «elle» en «ille» pour le satisfaire. Je n'utiliserai par conséquent la forme masculine pour le désigner que dans les cas de nécessité pour satisfaire aux exigences syntaxiques. Kryeon a un thème qui revient continuellement et il répète que ce message est très important : «L'amour est la force la plus puissante de tout l'Univers... C'est le catalyseur qui unira nos croyances au lieu que celles-ci s'appuient sur une doctrine. Le pouvoir de l'amour n'est cependant pas reconnu à sa juste valeur et sa force n'est pas utilisée comme elle le devrait.» Je crois toutefois qu'au cours des chapitres qui vont suivre, Kryeon nous enseignera comment résoudre ce problème.

Si vous ne connaissez rien à la métaphysique, je vous suggère de lire attentivement le chapitre 6 qui traite de Jésus-Christ et de sa véritable identité. Sinon, ce qui suit vous semblera vraiment étrange. Ceux d'entre vous qui sont plus familiers avec les systèmes de croyances universelles se sentiront plus à l'aise en parcourant les informations qui suivent.

Kryeon me demande d'écrire pour les gens du commun... et non pas pour ceux qui s'impliquent dans le mouvement du *Nouvel Âge* depuis des années. Il m'a recommandé dès le début d'utiliser un langage simple et précis, et m'a indiqué comment procéder pour ce faire. Ceux qui sont dans le mouvement depuis longtemps n'éprouveront aucune difficulté avec ce genre d'écriture, mais Kryeon m'a signalé que je pourrais rencontrer une certaine résistance chez la vieille garde en raison des nouvelles interprétations proposées. Il semble que nous entrons dans une période où l'information se précisera encore davantage. Dans le passé, une grande partie de l'information avait la bonne intention mais elle n'était pas basée sur les bons faits. Nous allons maintenant clarifier certains éléments.

Pour la première fois, Kryeon s'avance et s'adresse au monde à la première personne. Ce livre vous rapportera ses paroles. Je transcris son message textuellement, n'y effectuant que quelques ajustements mineurs en cours de route. J'ai été clairement informé qu'il fallait qu'il en soit ainsi, en laissant tomber les exigences grammaticales au besoin, afin de permettre une aisance dans la communication. Cela explique le style un peu fantaisiste du texte. Par contre, vous y retrouverez toute la spontanéité avec laquelle le message a été transmis et reçu.

Nous découvrirons donc en même temps ce qui suit pour la première fois... moi en tant que transcripteur et vous en tant que lecteur. Je ferai précéder les chapitres de notes et, à chaque fois, vous pourrez lire des commentaires avant d'entrer en communication avec Kryeon.

... Et maintenant, rencontrez Kryeon.

Rencontrez Kryeon

QUI SUIS-JE?

Salutations! Je suis Kryeon, de service magnétique. Chacun de vous est aimé profondément! Si vous avez été amenés à ce point où vous prenez connaissance de cette communication, c'est que vous êtes à la bonne place au bon moment. De grâce, poursuivez. Je m'adresse directement à vous.

Je vous parle aussi clairement que possible à travers mon partenaire; étant donné que je ne peux utiliser le langage que vous connaissez, les mots que vous lisez ont été traduits par son esprit. Mes communications sont en fait indépendantes de tout langage. Je m'adresse à vous sous forme de *pensées réunies* et *d'idées regroupées*, traduites en vos mots afin que vous puissiez comprendre.

Mon choix s'est arrêté sur ce partenaire pour plusieurs raisons... d'abord parce qu'il avait déjà accepté d'accomplir cette tâche avant même de venir sur la Terre. Il est lié par contrat mais, comme tous les humains, il peut refuser de le faire s'il le veut. Par contre, il sait intuitivement que, s'il ne s'acquitte pas de cette tâche, je l'empêcherai probablement de dormir pendant quelque 50 ans. La seconde raison de mon choix est qu'il n'a aucune formation en métaphysique : il n'a jamais étudié cette discipline ni lu aucun livre à ce sujet. Cela constitue une zone vierge pour la réception de mes pensées sur Terre. Il est dans sa neuvième année de croissance et d'éveil; il est par conséquent opportun pour lui de saisir cette occasion de poursuivre son cheminement. Comme il est mal à l'aise d'écrire sur lui-même, je reprends donc mon explication. Je ne m'appelle pas réellement Kryeon... et je ne suis pas un humain. J'aimerais vous faire comprendre qui je suis en tant qu'entité mais des implants (*) de base dans la race humaine vous imposent des restrictions psychologiques qui ne vous permettront tout simplement pas de comprendre. Je vous expliquerai cela plus tard. Mon nom est une *pensée collective* ou *l'énergie de groupe* qui m'entoure et qui est reconnue par toutes les autres entités. Cette même énergie accompagne toutes mes transmissions et m'identifie à chaque fois. Je suis toujours en communication avec tout... s'il-vous-plaît acceptez cela tout simplement. L'orthographe de mon nom, donnée à ceux qui en avaient besoin, provient d'une pensée collective et est aussi près de ma TONALITÉ que votre langage le permet.*(En anglais, l'épellation K-r-y-o-n a été choisie comme étant la plus près de la tonalité recherchée par l'être Kryon. En accord avec l'auteur, nous avons choisi l'épellation K-r-y-e-o-n pour représenter cette tonalité en français. Une explication plus élaborée de celle-ci sera présentée au chapitre trois NdÉ).* Mais il y a beaucoup plus dans mon nom que le son et j'aimerais tellement que vous puissiez le *ressentir* mais

---

(*) Ce mot représente un concept important dans les enseignements présenté dans ce premier livre de Kryeon. Dans le milieu Nouvel Âge, ce terme est souvent mal compris et perçu avec une certaine hésitation. Il est bien que le discernement soit toujours de rigueur. Dans le présent contexte, ce terme désigne grosso modo : «l'empreinte karmique liée à notre propre évolution et le contexte planétaire actuel». Mais comme nous le verrons plus loin, ce mot-concept représente aussi un outil, une énergie de vie issue de - ou actualisant un plus grand accès à - notre Soi supérieur ou Soi christique, indiquant une graduation et de nouvelles possibilités pour chacun de nous. NdÉ

vous en êtes incapables pour le moment. Le nom de *l'énergie de groupe* que j'utilise pour m'identifier (qui est par ailleurs différente de l'énergie de groupe qui accompagne mes communications) se divise en trois parties : 1. La TONALITÉ (ce que vous percevez comme un son mais qui est perçu ici d'une manière non auditive). 2. La FRÉQUENCE DE LUMIÈRE (ce que vous percevez comme de la lumière et de la couleur). 3. La FORME (ce que vous percevez comme des formes et des configurations). Cela se présente en un tout unifié et sa perception n'est pas significative pour vous présentement. La plus grande partie des *énergies de groupe* se situent au-delà de la perception des sens humains.

C'est très difficile à expliquer. C'est un peu comme si on tentait d'expliquer les couleurs à un aveugle. Vous n'avez pas les récepteurs qui vous permettraient de comprendre de quelle façon on me perçoit, et c'est comme cela doit être.

Il est très intéressant pour moi de constater que les humains qui sont *en relation* avec ce côté du voile depuis des années n'ont pas encore vraiment réussi à rassembler cette énergie de groupe. La structure de vos implants restrictifs est responsable de votre raisonnement en deux dimensions, mais les gens avec un équilibre auraient dû arriver à comprendre cette énergie à ce jour. Le moment est venu de vous y mettre! Vous avez à votre disposition plusieurs écrits éclairés sur la signification de la couleur, la lumière, le son et la forme... et vous savez reconnaître leur signification... mais vous devez placer ces informations dans un contexte tridimensionnel pour qu'elles prennent toute leur valeur. Pour plusieurs, ces données considérées individuellement ne sont qu'une information stérile... et ne leur apportent rien de plus. Si vous les regroupez cependant et commencez à travailler avec elles, elles se transformeront en énergie positive. Croyez-moi! C'est ainsi que les choses fonctionnent.

QUE SUIS-JE?

Je suis de service magnétique. Ceci signifie deux choses pour vous. Je vais commencer par le premier terme. Je suis une entité de service. Je n'ai jamais été un humain ni autre chose que Kryeon. Mon but est de servir d'une façon bien spécifique les *écoles* à travers l'univers où se trouvent les entités telles que vous. Il y a plusieurs écoles de différents niveaux; certaines sont inférieures, d'autres supérieures à la vôtre.

Il y a plusieurs sortes d'entités, mais leur nombre est toujours le même. Nous sommes stables et nous reflétons l'ensemble en tout temps. Vous êtes une partie très importante de l'ensemble, et vous êtes également très spéciaux. Vous avez été choisis pour élever la fréquence de l'ensemble à un niveau supérieur. Ce procédé est très intéressant; il demande toutefois des sacrifices et du travail. Lorsque vous êtes de ce côté du voile, il y a plusieurs choses qui deviennent claires et logiques alors qu'elles n'ont aucun sens pour vous maintenant. Mais le processus de vivre, de mourir, de travailler et faire les expériences des leçons de l'humanité sont des étapes essentielles vers le but final de notre existence entière... et ce que vous expérimentez actuellement est passionnant au plus haut degré. J'expliquerai ceci au fur et à mesure de nos entretiens.

Ceux qui, comme moi, sont en service ont choisi d'œuvrer pour tous les autres comme vous. Nous sommes beaucoup plus nombreux en service que vous en leçon. Il y a en outre plusieurs sortes de services. Il y a des entités spécialement assignées à chacun de vous. Ces entités changent lorsque vous atteignez un niveau plus élevé. Certaines cependant ne changent jamais et restent avec vous pendant toute votre vie. Toutes sont assignées pour vous servir directement.

Le fait que votre planète accueille en même temps plusieurs sortes d'écoles différentes de la vôtre, et dont vous ignorez absolument tout, rend les choses vraiment complexes pour vous. Cela est toutefois relativement simple et logique à mon point de vue. C'est qu'il y a d'autres entités qui agissent en interaction avec vous d'une manière étrange et forment ainsi leur propre école! Vous êtes en quelque sorte leur test! En outre, certaines autres espèces biologiques de la Terre sont aussi des entités... mais vous les considérez comme des espèces d'une intelligence inférieure. Il y a aussi des entités éthériques qui sont avec vous et qui travaillent à leur façon à travers les différentes leçons. Vous les considérez comme des fantômes ou des apparitions... à ne pas confondre cependant avec les apparitions qui sont assignées à votre service.

Tous ceux parmi nous qui sont en service sont fiers de vous et célébrent votre travail. Plusieurs d'entre vous ont commencé dans le service et ont choisi de changer. Certains ont été invités à changer et l'ont fait très volontiers. Les décisions de l'ensemble représentent toujours la volonté des individus. L'amour est la source du pouvoir et il n'a qu'une seule origine.

Nous sommes tous reliés les uns aux autres. Nous sommes le grand *JE SUIS* comme vos Écritures appellent Dieu. Lorsque j'envoie le message *Je suis Kryeon*, je communique que j'appartiens à l'ensemble et que ma signature est **Kryeon**. Nous sommes Dieu. Vous êtes une portion de Dieu et *vous avez le pouvoir d'atteindre de votre côté du voile un niveau aussi élevé que celui que vous aviez avant votre venue sur Terre... et vous êtes aimés infiniment.* Vous êtes tous de grandes entités indépendantes qui ont accepté d'être exactement où vous vous trouvez avant même que vous ne vous trouviez où vous êtes. Nous sommes un tout dans l'esprit, même pendant votre séjour sur la Terre, voilés de la vérité. Bien que nous soyons une collectivité, l'AMOUR est unique et n'a qu'une seule origine ou un seul point de départ. Cela peut vous sembler confus mais sachez que c'est une vérité de première importance, et comprenez que c'est fondamental en votre temps présent.

QUI ÊTES-VOUS?

Avant de continuer à vous parler de mon travail auprès de vous, je dois m'arrêter pour tenter de vous expliquer pourquoi certains d'entre vous ne croient rien de ce que vous lisez présentement : précédemment, dans une autre communication, je vous ai parlé d'une analogie où vous, en tant qu'humains, tentiez d'expliquer le fonctionnement d'une pièce complexe d'équipement à un animal terrestre. Cela est très semblable à ce que je fais présentement, c'est-à-dire tenter d'expliquer ce qui se passe de ce côté du voile à vous qui êtes de l'autre côté. C'est ainsi cependant que cela doit être et c'est bien ainsi. En fait, une grande partie du travail a été utilisée à cette fin! Votre intuition et votre discernement sont les seuls éléments qui vous permettront de choisir d'arrêter votre lecture ou non...

car tout ce que vous possédez d'autre biologiquement a été altéré! Comme je vous l'ai mentionné plus tôt, vous avez des implants qui ne vous permettront jamais de comprendre ce qui se passe de ce côté du voile par le raisonnement. La seule façon pour vous de commencer à comprendre est d'équilibrer votre nature biologique avec votre nature spirituelle. Voyez-vous, votre nature spirituelle est pure et vierge; elle est demeurée intacte sans aucune restriction. En apportant une dimension spirituelle à votre structure biologique (votre pensée biologique et votre corps physique), celle-ci ne sera plus limitée dans sa capacité de compréhension. Plusieurs d'entre vous appellent cet équilibre *l'éveil de la Lumière intérieure*.

Je vais vous donner un exemple de vos restrictions mais ce n'est pas pour que vous vous sentiez inférieurs (car vous ne l'êtes pas!) C'est plutôt pour que cela vous serve d'exercice d'application de raisonnement et de logique par rapport à ce que je vous révèle. En chaque homme se trouvent de nombreux implants qui le limitent et restreignent sa pensée consciente. Par exemple, vous êtes tous conditionnés à croire que toute chose doit avoir un début et une fin. Ainsi, si je vous dis que quelque chose *a toujours été*, vous aurez de la difficulté à me croire. Si je vous dis que non seulement quelque chose *a toujours été* mais qu'elle *sera toujours*... vous direz peut-être que vous comprenez... mais vous ne le pouvez pas. Ces restrictions sont implantées en vous; votre conception des choses veut que tout ait un début. Je ne peux pas d'un seul coup vous donner la possibilité d'abolir cette restriction, mais je peux vous amener à interroger votre perception des choses en vous demandant de réfléchir à ceci : Imaginez-vous que vous êtes en ce moment à l'intérieur d'une grosse bulle.

Pouvez-vous me montrer où la bulle commence et où elle finit?... Ou encore d'où elle a été formée? Comment l'intérieur d'une sphère peut-il avoir un début...? C'est tridimensionnel! Si vous prenez maintenant un crayon et tracez une ligne tout autour de l'intérieur de la bulle, vous comprendrez le but de ma leçon. Vous créez pour vous-mêmes un commencement et une fin (l'endroit où vous avez commencé votre ligne et celui où elle se termine) dans un environnement qui n'en a pas. Vous superposez actuellement vos limitations à quelque chose qui n'en a pas. *C'est ce qui vous est arrivé.* Vous avez été altérés pour penser et raisonner en deux dimensions dans un espace tridimensionnel. Vous êtes également conditionnés pour constamment rechercher la création ou le début d'une chose... Ce sont vos implants à l'œuvre.

Ceci est relié à l'autre restriction de base qu'on vous a imposée : vous percevez le temps d'une façon linéaire et constante... avec seulement deux dimensions... en avant et en arrière. Parce que le temps ne s'arrête jamais, vous ne pouvez jamais être dans le *présent.* C'est seulement au cours des dernières quelques générations que vous avez réalisé que le temps était relatif (et qu'il n'est pas constant), mais vous n'avez toujours pas conscience de sa troisième dimension. Si je vous disais que le temps tel que vous le connaissez n'existe pas du tout, vous éclateriez probablement de rire... Et bien, riez. Le concept du temps tel que vous le comprenez a été créé à votre intention pour vous permettre d'apprendre et pour vous procurer une plate-forme linéaire et constante pour exister pendant que vous apprenez. Le temps constant *fiable* est un concept terrestre. Du côté où je suis, il y a une forme de temps bien différente et tout se passe dans le *présent.* La troisième dimension du temps est verticale. Comme dans la bulle, il n'y a ni passé ni futur... seulement le présent. Tout converge vers un point central... exactement où vous vous trouvez dans la bulle.

Dans toutes vos expériences scientifiques, vous avez été limités à deux dimensions. Vous n'avez pas encore découvert *l'équilibre* dont je vous parlais, et ne l'avez pas relié à la science. Les sciences spirituelles de l'univers sont logiques, prévisibles, et sont basées sur des nombres et des formules qui fonctionnent toujours. C'est un mariage du physique et du spirituel, et une exécution appropriée apporte des changements consistants et perceptibles. Voilà mon service et je connais ces choses. Ce qui vous manque c'est *l'équilibre* avec la partie spirituelle qui permettra à votre science de bondir en avant d'une façon spectaculaire lorsque vous l'aurez atteinte.

Dans le développement de l'humanité, au cours des prochaines années, vous aurez l'occasion de voir les résultats du mariage entre le physique, le mental et le spirituel pour faire avancer la *véritable science*. Vous n'avez pas présentement de véritable science... Votre science n'est que bidimensionnelle... c'est une science humaine et non universelle.

La partie manquante, celle du spirituel, a été rejetée par vos scientifiques comme non scientifique tout au long de ces centaines d'années. C'est ironique puisque c'est dans le spirituel que se trouvent le véritable pouvoir et la véritable compréhension! Vous ne réussirez jamais de voyages spatiaux prolongés dans l'espace sans lui. Vous n'arriverez jamais non plus à modifier ou comprendre la gravité... et, plus important encore, vous n'arriverez jamais à une transmutation de la matière sans lui. Imaginez... Comment aimeriez-vous neutraliser tous vos déchets atomiques d'une manière si absolue qu'un enfant pourrait s'y amuser comme avec du sable? Ce n'est pas difficile à réaliser, mais cela demande des connaissances que vous n'avez pas encore utilisées mais que vous avez maintenant le pouvoir et l'autorisation de développer. Vous avez mérité cela!

De mon point de vue, le pouvoir que vous n'avez pas encore utilisé relève de mon domaine. Vous possédez d'immenses ressources de pouvoir brut qui se trouvent dans la compréhension et l'utilisation maîtrisée des champs magnétiques de votre planète. Toute l'énergie que vous n'avez jamais utilisée est là, sans parler du secret du vol passif qui utilise les forces magnétiques... mais vous n'arriverez pas à comprendre cela sans *l'équilibre* d'une science tridimensionnelle.

Présentement, les hommes sont comme d'infimes molécules collées sur un aimant géant... un aimant qui peut faire bouger les choses avec une force énorme au besoin... Les hommes toutefois n'arrivent pas à faire mieux que de creuser des minuscules trous sous la surface de la Terre et d'en tirer de toutes petites pièces de minerai ou de brûler du fer pour obtenir chaleur et puissance. Vous êtes comme des fourmis sur une génératrice, souhaitant obtenir de l'électricité. Vous n'avez pas compris la forêt, vous concentrant à consumer une feuille pour obtenir du combustible!

Avez-vous remarqué le thème du **pouvoir du trois** qui se répète constamment? Il n'y a rien de magique là-dedans... ce n'est que logique universelle. La vibration du chiffre *trois* libère de la puissance et de l'énergie. L'équilibre du chiffre *trois* vous est nécessaire pour agir de façon éclairée (sur le plan physique, mental et spirituel). La connaissance du *trois* vous est nécessaire pour utiliser la véritable puissance mise à votre disposition et libérer les secrets scientifiques que vous ignorez encore. Lorsqu'utilisé, *trois* se transforme en *un*. C'est difficile à expliquer. Imaginez que vous utilisez trois parties inactives pour en créer une active et vous comprendrez mieux. Plusieurs religions occidentales sont fondées sur le principe d'un Dieu en trois personnes. Cette information dévie un peu de son véritable sens mais demeure appropriée quant au concept de la puissance du trois combiné en un.

Je vous ai également parlé des trois parties de mon nom. Divisées, elles n'ont aucune signification; réunies, elles forment ma *signature*. Le chiffre *trois* est très important et on le retrouve constamment partout dans l'univers.

Autre point à souligner, de moindre importance cependant : si vous prenez les lettres de la partie sonore de mon nom Kryon - *tel qu'écrit en anglais* - et que vous leur attribuez une valeur telle que A=1, B=2, Z=26 etc, en additionnant ces nombres, vous obtiendrez 83. Additionnés, ces chiffres donnent 11. Ce nombre est significatif et décrit encore mieux qui je suis pour ceux qui possèdent un sens intuitif de la signification des chiffres. C'est pourquoi j'ai choisi d'écrire mon nom de cette façon dans votre langage. *Ce n'est pas l'auteur qui a décidé de l'orthographe de mon nom.* Le nombre 11 vous révélera mon caractère. Lorsque vous multipliez ce nombre avec la puissance du chiffre 3, vous obtenez 33. Cela vous donne un aperçu de la puissance de ma FONCTION. (*En français, avec le mot* Kryeon *on obtient le chiffre 88, un autre maître nombre à la symbolique importante, offrant possiblement une vibration complémentaire au 33 de Kryon. En le multipliant par trois, on obtient 264 = 12 = 3 NdÉ*). Je vous confie une importante formule de puissance : 9944. Votre dis-

cernement et votre intuition vous amèneront
éventuellement à comprendre sa signification, mais
sachez que cette formule est importante dans la
transmutation de l'énergie.

Je n'ai pas pour mission de vous donner une
formation sur ce sujet. Je vous rapporte des faits qui
relèvent de ma fonction magnétique. D'autres sont ici
afin de vous aider à atteindre l'équilibre et pour vous
fournir toutes les informations nécessaires. Nous
sommes tous ici dans l'amour.

POURQUOI SUIS-JE ICI?

Avant de pouvoir vous dire exactement pourquoi
je suis ici, je dois vous expliquer davantage la façon dont
les choses fonctionnent pour vous. Vous comprendrez
alors mieux la nature de mon service et la raison pour
laquelle je suis ici.

Plusieurs d'entre vous lisent ces lignes
présentement avec l'espoir d'y trouver de précieuses
informations... quelque chose de significatif peut-être...
C'est un besoin qui vient de la soif de votre âme de
connaître la vérité sur le monde. C'est le sens de votre
spiritualité fraîchement éveillée. Vous réalisez qu'il y a
autre chose dans la vie que la seule nécessité de vous
nourrir et de vous protéger des périls (un autre
implant). Peut-être avez-vous toujours soupçonné qu'il
y avait autre chose, mais vous n'aviez aucune idée de ce
que cela était. Vous expérimentez présentement un
changement graduel de conscience que vous avez mérité,
et cela est approprié à votre temps. Continuez votre
recherche. Elle vous mènera à ce que vous souhaitez
ardemment... la paix de l'âme à travers la puissance de

l'Amour.

Les hommes ont toujours été à la recherche de Dieu. Vous vivez simplement un mal du pays reflétant l'absence de votre connexion avec la communication pendant que vous êtes en leçon. C'est un souhait primal et global inscrit dans vos cellules.

Les choses commencent à changer. C'est pourquoi je suis ici. L'ancienne Terre, la Terre intermédiaire et la nouvelle Terre se réfèrent aux trois niveaux primordiaux de conscience de l'humanité (à ne pas confondre avec l'époque de la création de l'humanité) depuis que les entités sont *en apprentissage* en ce monde. Nous accédons maintenant à un quatrième niveau; il possède un potentiel incroyable et il sera le dernier. C'est l'époque de la responsabilité, de la lumière. C'est le moment où vous prenez finalement les choses en main.

Il y a une raison qui justifie toute votre existence sur Terre : vous êtes en apprentissage en vue d'élever la vibration de l'ensemble. C'est la raison qui englobe tout et on ne peut vous l'expliquer à fond pour le moment. Vos efforts pendant cette période d'apprentissage créent une énergie à travers vos incarnations et une élévation subséquente de la conscience terrestre. Cette énergie est valable pour l'ensemble et transmute la négativité. La négativité est *l'absence de lumière* et elle s'étendra de plus en plus à moins qu'elle ne soit maîtrisée par la vigilance de ceux qui, comme vous, sont en formation à travers l'univers. Vous êtes les instruments dans le changement de quelque chose de très large et de très complexe. S'il-vous-plaît, acceptez ceci. On ne vous en demandera pas beaucoup plus pendant votre séjour sur la Terre. Il ne s'agit pas d'une information planétaire mais d'une information universelle.

Plus près de vous, sur le plan planétaire, votre défi consistait à commencer à travailler dans la pénombre et à progresser graduellement à travers de nombreuses leçons et incarnations jusqu'à ce que vous atteigniez un point de lumière éclatante. Vous êtes sur la bonne voie et approchez rapidement de la fin du cycle. Une fois de plus, vos efforts tout au long de ce processus créent de l'énergie pour le reste de notre groupe.

Plus important encore, en tant qu'humains, vous passez au cours de vos vies à travers plusieurs expériences de témoignages ou *expressions*, créant ainsi l'énergie nécessaire pour porter la vibration de la conscience planétaire jusqu'à son niveau optimal. Ce faisant, chaque siècle devait en outre contribuer au cheminement spirituel de l'ensemble... et il en a été ainsi jusqu'à présent. Il y a 2 000 ans, vous, dans le *premier monde*, avez mérité le cadeau du grand maître Jésus. Cette entité est aussi en service et elle est connue de nous tous à travers l'univers comme l'une des plus grandes vibrations à l'œuvre. Cette visite a causé une très grande activité spirituelle sur la Terre et ses répercussions se sont étendues jusqu'à maintenant. Le premier message transmis à mon partenaire expliquait ceci. Il expliquait également le message de Jésus avec plus de clarté que je le fais ici (voir la dernière partie de ce livre).

Des messages, transmis par d'autres grands maîtres en service, ont aussi été reçus en d'autres parties de la Terre au cours de cette époque. Différentes cultures ont ainsi reçu *la vérité* à différentes périodes, au moment où elles étaient prêtes à la recevoir, mais tout ceci était un effort global. Tout le monde a reçu le même message qui traitait de la puissance de l'homme, en tant qu'être spirituel, et de sa relation avec l'univers. À ce moment, vous avez tous été invités à porter l'éclatante lumière du *morceau de Dieu* avec vous en tout temps et à commencer votre témoignage en tant qu'entités de lumière sur la Terre.

Au cours des siècles antérieurs, vous ne pouviez même pas contenir la *charge* complète de votre entité, et ne pouviez la transporter avec vous qu'en partie seulement! L'équilibre de votre pouvoir collectif se trouvait dans les centres et les temples d'énergie. Une de vos cultures transitoires de longue durée a même transporté avec elle l'énergie d'un endroit à l'autre. L'importance des temples dans la très ancienne histoire de la Terre était beaucoup plus significative qu'aujourd'hui parce qu'ils étaient en fait les centres de la puissance spirituelle... et qu'ils pouvaient le prouver par des manifestations physiques.

Actuellement, entre vos incarnations, vous profitez d'un court moment de repos pendant lequel vous rencontrez et communiquez avec l'ensemble. Vous pouvez ainsi planifier votre prochain témoignage ou leçon. Votre plan est souvent déterminé directement par ce qui est arrivé au cours de votre dernière expression. C'est ce qu'on appelle le karma. Vous vous engagez à honorer un contrat ou planifiez ce que vous apprendrez ou expérimenterez au moment où vous commencerez votre prochaine expression. Assez souvent, vous vous incarnez pendant un court moment : vous mourez pendant l'enfance ou très jeune par maladie ou par accident. Cela peut vous sembler cruel ou illogique et difficilement acceptable, mais c'est approprié et c'est bien pour l'ensemble. Le moment où vous vous incarnez de nouveau est déterminé par la leçon du groupe qui vous entoure, dont certains membres sont encore sur

Terre et d'autres pas. Parfois, votre incarnation sert presque entièrement à l'expression de quelqu'un d'autre, et elle est très rapide.

Cela semblerait indiquer qu'il y a une certaine forme de prédestination à l'œuvre. Mais ce n'est pas le cas. Cette question est souvent mal comprise.

Toutes les incarnations sont comme une feuille blanche avec un but qui lui est superposé (karma), comprenant différentes *portes* d'action offertes au cours du cycle (plan de contrat). Le karma peut être réalisé ou ne pas l'être. S'il ne l'est pas, une autre possibilité surviendra dans une autre expression (incarnation). Un individu peut ouvrir les portes d'action proposées dans le contrat ou ne pas les ouvrir ... cela dépend de chacun et de l'endroit où il se trouve dans son processus de croissance à ce moment. Tout cela entre en inter-relation avec les autres entités impliquées dans votre expression. En tant que groupe planétaire, vous avez franchi plusieurs bonnes portes. Vous avez fait cela collectivement de votre côté du voile et, par là, avez réussi à élever l'ensemble. Une fois de plus, vous méritez d'être félicités. Je peux vous affirmer que ce n'est pas toujours le cas dans l'univers. Vous avez eu de nombreuses occasions d'échouer mais vous vous en êtes bien tirés.

Quelques précisions sur mon travail : **Les champs magnétiques sont très importants pour votre biologie! De plus, les champs magnétiques peuvent affecter (et ils le font) votre conscience spirituelle. Le champ magnétique de votre planète est essentiel pour votre santé biologique, et il est bien réglé pour s'ajuster à votre plan spirituel.**

Le champ magnétique de votre planète a été soigneusement mis en place pour votre santé et votre apprentissage. Regardez autour de vous. Quelle autre planète possède un champ magnétique? Ce n'est pas une force naturellement présente. Il a été placé là à dessein et avec grand soin. Vous n'avez pu vous éloigner suffisamment de votre planète ni la quitter pendant suffisamment longtemps pour réaliser cela... mais lorsque cela se produit, vous devez transporter un champ magnétique avec vous pour préserver votre santé mentale et physique... et il doit être approprié. C'est une règle de base pour les humains. Si vous trouvez une autre planète avec un champ magnétique, ce serait un premier indice qui vous indiquerait qu'elle pourrait abriter une vie biologique, se préparer à en recevoir une ou en avoir déjà eu une. Quelle que soit la forme de vie biologique, elle devra être polarisée pour avoir une portée spirituelle. Prenez note de ceci : plus le champ magnétique est éloigné de l'axe de la planète, plus la forme de vie est éclairée. Cela n'est qu'une partie de procédé et un point à observer.

L'électricité est partout présente et vous avez déjà commencé à observer les effets nocifs des champs magnétiques artificiels sur votre santé. Votre corps devrait être protégé de tous les champs magnétiques artificiels. Vous possédez la technologie pour ce faire et devriez vous protéger vous-mêmes. Certaines maladies qui se retrouvent exclusivement dans votre société occidentale bien nantie sont directement reliées à l'effet des champs magnétiques artificiels qui vous entourent.

Vous comprenez depuis plusieurs années que les procédés de base de la pensée sont de nature électrique (donc qu'ils possèdent des propriétés magnétiques). Par conséquent, vous savez aussi que votre système biologique tout entier, des nerfs jusqu'aux muscles, est électro-chimique dans ses fonctions. Chaque organe dans votre corps est *équilibré* magnétiquement (polarisé) et il est sensible aux champs extérieurs. On soupçonne que des troubles du cerveau, de la thyroïde, du coeur, du foie et des reins sont reliés à une perturbation magnétique. Les métaphysiciens *étudient* votre propre champ magnétique (vous en avez tous un); plus précisément, ils perçoivent l'équilibre de votre champ... Et vos hommes de science attachent régulièrement des fils à votre corps pour enregistrer vos impulsions électromagnétiques.

De grâce, comprenez que la meilleure chose que vous puissiez faire pour vous-mêmes est de vous protéger. Laissez les propriétés magnétiques de la planète faire leur travail pour votre santé. N'utilisez pas de méthodes artificielles pour essayer de créer l'équilibre. Éloignez-vous des grands aimants statiques ou des aimants d'énergie électrique. Et surtout : regardez où vous dormez, et placez les appareils électriques qui dégagent des ondes magnétiques à au moins trois mètres de vous. Ce peut être une horloge électrique (branchée dans la prise électrique), un téléviseur, un lecteur de cassettes, une enregistreuse, des haut-parleurs, un appareil de chauffage ou un ventilateur. N'utilisez jamais de couverture électrique pour vous réchauffer. N'utilisez pas non plus d'appareil électrique dans une pièce où il y a un lit d'eau. Aucun appareil qui possède un moteur ne devrait se trouver en permanence près de vous. Il devrait en outre être protégé. Assurez-vous que vos transporteurs de pouvoir artificiel et appareils de distribution ne fonctionnent pas directement dans ou à proximité de votre chambre à coucher.

Une fois de plus, vos implants vous ont caché quelque chose qui aurait dû vous paraître évident : le magnétisme est le *coussin* sur lequel reposent la conscience et la biologie humaines depuis le début des temps. C'est mathématique et cela a été conçu ainsi. (C'est également en interrelation avec votre système d'implants.) Si vous aviez été conscients de cela, et si vous y aviez accordé foi plus tôt, plusieurs de vos maladies terrestres seraient maintenant comprises et contrôlées. Vous devez équilibrer magnétiquement ce que vous faites entrer dans votre corps! Comment avez-vous pu ignorer cela? Amèneriez-vous de puissants aimants dans un lieu minutieusement réglé et polarisé? Le fléau de la déficience immunologique que vous combattez présentement sur Terre est magnétiquement contrôlable. Consacrez quelque temps à changer ses propriétés magnétiques et surveillez ce qui se passe. Repolarisez-le et vérifiez les résultats. Vous pourriez être surpris.

Sachant cela, êtes-vous surpris maintenant lorsque je vous informe de la grande influence du champ magnétique de la Terre sur vous?

Je suis Kryeon de service magnétique. J'ai créé le système du réseau magnétique de votre planète. La création de ce réseau a pris des éons de temps terrestre. Il a été équilibré et rééquilibré pour s'adapter aux vibrations physiques de votre planète en évolution. Durant la période de mon séjour initial, ce que vous percevez maintenant comme la polarité négative et positive de la Terre a été modifié maintes et maintes fois. Votre science peut prouver cela : regardez les strates dans le sol, elles vous montrent plusieurs modifications de la polarité nord et sud qu'a subies la Terre au cours de son développement. (La Terre n'a pas basculé sur son axe, seule sa polarité l'a fait.) Tout cela a pris place avant même que vous soyez autorisés à exister sur cette planète. Mon partenaire était là pour m'aider et il relevait aussi du service magnétique à ce moment. Sa relation avec moi est l'une des raisons pour lesquelles je m'adresse à vous par son intermédiaire. Je suis venu ici à deux reprises, par la suite, pour des ajustements majeurs. Cette mission représente le troisième ajustement auquel je participe, de même que ma quatrième et dernière visite. Les deux dernières fois où je suis venu, il était nécessaire et approprié de faire un ajustement global pour s'adapter à votre croissance. Dans chacun des cas, l'humanité s'est éteinte dans ce but. Seules quelques entités ont survécu à chaque fois pour reproduire la biologie.

Ces mesures peuvent vous sembler sévères, mais elles étaient justes et ont été exécutées dans une parfaite harmonie et dans l'amour. Vous avez tous approuvé ces décisions avant le fait, et vous les avez célébrées, car elles permettaient à la Terre de croître. Je ne suis pas venu vous annoncer que ma troisième intervention exigera votre anéantissement... mais, sans une certaine compréhension, plusieurs d'entre vous s'anéantiront eux-mêmes de toute façon. Ce troisième ajustement est déjà commencé... et ceux d'entre vous qui s'intéressent à des phénomènes tels que le mouvement du nord magnétique savent de quoi je parle.

À PROPOS DE LA FIN DES TEMPS

Plusieurs d'entre vous qui sont *en relation* avec le côté du voile d'où je viens se doutent de ce que je fais mais, comme la communication est à tout le moins difficile, vous n'avez pu connaître le véritable plan de mon intervention. L'information était juste, mais les pensées que vous avez reçues vous ont menés à des conclusions basées sur une compréhension partielle qui ne représente pas la réalité. Votre vision psychique portait sur une sorte de basculement de la Terre. Rien de cela n'est imminent. Même une très légère variation dans l'axe de la Terre en ce moment résulterait en un cataclysme qui entraînerait la destruction de l'humanité. Les océans se répandraient sur les continents, la croûte terrestre se soulèverait violemment, la lune influencerait des zones nouvellement exposées et plus faibles du globe et en ferait littéralement bouillonner la surface, et votre climat changerait de façon spectaculaire. Des volcans se réactiveraient un peu partout et ce serait la fin de l'humanité. Comment puis-je savoir cela? J'ai observé le processus la première fois! Il y aura certainement des inondations, des tremblements de terre et des éruptions volcaniques dans le futur... certains phénomènes résulteront de ma nouvelle intervention mais ils n'amèneront pas la destruction de l'humanité. Ils se produiront en des endroits inusités cependant.

Usez du discernement et de l'intuition qui sont vôtres au niveau cellulaire. Votre conscience supérieure, votre *Soi divin*, vous apportera la réponse. Croyez-vous que l'humanité a été amenée à travers toute l'histoire du monde jusqu'à la fin de ce cycle de conscience plus élevée pour périr noyée par une vague ou écrasée par un rocher? Ce serait toute une graduation, ne croyez-vous pas?

Non. La variation prévue dans l'axe de la Terre est mon affaire. C'est un changement magnétique qui consistera en un réalignement du réseau de la Terre en vue de la graduation des temps. En fait, vous serez dotés d'une couverture magnétique appropriée qui permettra aux hommes éclairés et équilibrés d'exister et de fonctionner. Votre nord magnétique ne sera plus en ligne avec le nord polaire. Il ne l'a jamais été, comme vous le savez, mais sa déviation sera encore plus prononcée.

Pourquoi cela est-il si important alors? Parce que ceux qui ne sont pas prêts ne pourront pas supporter ces changements. Certains resteront alors que ceux qui ne le pourront pas se réincarneront et reviendront dans le bon alignement. Les conséquences de ces changements sur votre société constituent la partie négative de mon message.

Le processus que je suis chargé de mettre en place prendra de dix à douze ans avant d'être complété. De maintenant jusqu'à l'an 2002, vous observerez des changements graduels. Autour de l'an 1999, vous devriez savoir exactement de quoi je parle. Les gouvernements sont dirigés par des hommes de pouvoir... et tous ne sont pas éclairés. Leur inaptitude à traiter avec la transformation de la conscience pourrait les déséquilibrer et résulter dans le chaos.

Notez que je dis *pourrait*... C'est ici où vous avez véritablement l'opportunité de changer quelque chose. Alors que le réseau s'ajustera au cours des prochaines années, vous serez de plus en plus éclairés. Comme je vous l'ai dit plus tôt, vos implants restrictifs s'adapteront à mon réseau. Ces changements vous libéreront de certaines restrictions et vous aurez, à partir d'ici, un niveau de contrôle jamais atteint auparavant. Pour la première fois, vous serez capables de comprendre complètement le pouvoir mis à votre disposition par l'énergie d'amour et de l'utiliser pour le bien-être de la planète. Vous serez également capables de concentrer cette énergie de telle façon que le négatif sera transformé en positif. Cela aura pour résultat d'équilibrer plusieurs êtres qui auparavant n'auraient eu aucune chance de survivre à cette transition.

Je dois m'interrompre ici car je suis constamment dérangé par mon partenaire qui veut connaître la signification du triple six ou le nombre 666 associé à l'anti-Dieu ou l'antéchrist de la fin des temps. Il veut aussi être renseigné sur la *marque de la bête*. Ce *symbole* a été associé à tout par les hommes, des codes de travail assignés par votre gouvernement jusqu'aux codes informatiques sur les emballages que vous achetez dans les magasins. En fait, c'est beaucoup plus simple que cela... Ce n'est rien d'autre que l'équilibre magnétique de votre code cellulaire biologique (ADN)! Par conséquent, tous ceux d'entre vous qui sont équilibrés sont neutres. Ceux qui ne le sont pas sont *marqués* pour un changement (bien que cela puisse être modifié n'importe quand). La *bête*, comme vous l'appelez, est la partie non éclairée de chacun de vous. Elle a été désignée ainsi à cause des actions potentielles des leaders mal équilibrés au cours des temps de réajustement à venir... comme une *bête* parmi vous dévorant la paix. Ainsi, les mal équilibrés portent la marque de la bête potentielle.

Cela peut sembler rétrograde à ceux d'entre vous qui ont étudié les messages reçus en channelling et transcrits dans l'Apocalypse. J'ai cependant une révélation à vous faire : ce channelling du temps passé a été délibérément gardé vague et confus parce **qu'aucune entité dans l'univers n'était en mesure de prédire l'issue de votre épreuve à venir présentement!** Il y a plusieurs fins possibles pour vous et l'Apocalypse présente à la fois tous les scénarios de la fin des temps qui pourraient arriver sur la Terre... Il ne faut par conséquent pas s'étonner que l'interprétation soit difficile... c'est une *farce cosmique*. La signification du 666 est le fantôme (ou déguisement) du **9**. Le chiffre 9 se cache dans le triple 6 à chaque embranchement et représente l'énergie de votre temps présent. Il est relié à la vibration de l'équilibre, du pouvoir et de l'amour. Il indique aussi l'achèvement. Si vous additionnez les trois 6, cela donne 18 ou un 9. Si vous désirez multiplier le 9 par la puissance du chiffre 3 pour obtenir des informations additionnelles (comme vous l'avez fait avec mon nom précédemment), vous obtiendrez 27, qui est aussi un multiple de 9. Si vous multipliez 6 trois fois par lui-même (ou 6 au cube) vous obtiendrez 216, ce qui est aussi un multiple de 9. La vibration du **9** est la vibration de ceux *qui sont équilibrés et qui pourront demeurer sur ce plan*. Le 666 n'est pas le nombre *à craindre*. (Il n'y a aucun nombre à craindre. Les chiffres nous fournissent une information importante et sont un merveilleux outil en trois dimensions (vous n'en utilisez présentement que deux dimensions. Ils sont mathématiques et remplis d'énergie.)

La signification des trois 6 réunis est la suivante: chaque 6 représente l'un des trois calculs mathématiques de la Terre en *base six*. 1) Le premier 6 représente le **temps**. Ce système de calcul en base six provient de la rotation de la terre et vous l'avez utilisé fidèlement depuis le moment de sa découverte. 2) Le second 6 représente la **boussole magnétique** de 360 degrés, développée une fois de plus en fonction des propriétés physiques de la Terre qui est circulaire. Notez que la boussole est aussi un *cercle de 9*. Chacun des huit points à 45 degrés sont des multiples de 9. De plus, les points opposés à chacun des points à 45 degrés, additionnés l'un à l'autre, sont aussi des multiples de 9 (360+180; 45+225; 90+270; etc) Pourquoi additionner les points de directions opposées? Si vous marchez dans une même direction pendant suffisamment longtemps, vous reviendrez à l'endroit d'où vous êtes partis. Votre route sera devenue une ligne droite qui aura encerclé le globe. Par conséquent, sa signification en tant que direction doit être considérée à la fois par ses deux têtes magnétiques puisqu'elle n'a actuellement ni commencement ni fin. 3) La dernière base six est la **gravité.** Lorsque vous serez en mesure de la calculer et de la manipuler, vous découvrirez qu'elle est aussi en base six. Le spectre de l'entité humaine représentant la puissance de l'ombre sur la Terre et coiffée d'un nombre malveillant n'était pas une information reçue en channelling. Elle a été créée par des hommes à des fins humaines. La notion de l'*antéchrist* vient du fait que les gens mal équilibrés transportent une énergie dépourvue de lumière, contraire aux messages remplis d'amour du maître Jésus.

Rappelez-vous : vous devez vous éloigner de toute idée préconçue de ce que la *fin des temps* signifie pour vous. Si vous avez la foi chrétienne, je vous demanderais de grâce de continuer à garder les yeux sur votre maître Jésus et, dans un parfait amour, de demander à être guidés non par la doctrine des hommes mais par la sagesse de Dieu. Demandez et priez pour le discernement et la paix. L'amour vous conduira à travers les épreuves. Vous faites maintenant face à un grand danger. Les hommes vous détruiront si vous n'êtes pas vigilants. Proclamez la puissance de l'amour qui est vôtre et mettez-la à profit! Demandez à être guidés par l'esprit (le Saint-Esprit) afin de connaître la véritable signification de la fin des temps et de savoir comment vous devriez agir. Étudiez l'incident qui s'est produit à Jonestown et tirez-en une leçon.

Le réalignement que je suis en train de créer apportera à coup sûr des changements pour chacun de vous. Comme je vous l'ai mentionné précédemment, ce sont les gestes des gouvernements impliqués dans la prise de décisions pour l'ensemble qui provoqueront ces changements parmi les sociétés de la Terre. Les pays qui profitent d'une économie auto-contrôlée pourraient être les plus touchés. Le contrôle de l'économie demande un consensus et une très grande confiance dans l'administration d'un pays. Lorsque ces facteurs sont retirés, l'effondrement est inévitable. Ceux d'entre vous qui vivez dans ces pays privilégiés du premier monde doivent être avertis de ce danger. Les êtres équilibrés s'éveilleront à leur propre pouvoir, mais ils doivent être circonspects des questions économiques. Ne faites pas confiance au système économique de votre gouvernement pendant ces temps de changements. Échangez votre fortune personnelle pour des valeurs de base. Troquez tout ce que vous pouvez, et ne faites confiance à aucune institution financière. Il n'est toutefois pas nécessaire de fuir votre système gouvernemental ou d'aller vous cacher, à moins que vous ne sentiez que vous êtes réellement en danger. Faites face au changement et continuez de vous en tenir aux grands principes qui vous indiquent honnêtement comment les hommes doivent vivre ensemble pour le bénéfice de tous, dans la tolérance et l'amour de chacun.

Ces conseils doivent être considérés comme des suggestions pour une plus grande sécurité et non pas nécessairement comme la révélation d'un temps horrible à vivre ou l'annonce d'un holocauste à venir. Il y a aussi des bonnes nouvelles. J'ai commencé mon travail en 1989. Sans aucun changement encore en place, vous avez déjà commencé vous-mêmes à changer. C'est la meilleure preuve que le moment était bien choisi et que vous étiez *sur la voie*. Dès mes premières interventions, vous avez réagi globalement d'une façon positive, en vous orientant justement dans la nouvelle conscience. Vous devez savoir que nous avons été très fiers de vous pour cela! Il n'y a pas de meilleure preuve de réception de la lumière sur le plan de l'ensemble que (1) le désir de tolérance (2) le désir de la paix et (3) l'élimination de tout ce qui pourrait nuire à l'accomplissement des points 1 et 2.

Avez-vous remarqué l'importance du chiffre 9 dans l'année de mon arrivée? Le 666 et sa signification cachée l'avaient prédit. Quiconque possède un peu de discernement pouvait prévoir le début de mon intervention finale auprès de vous, et plusieurs l'ont fait.

Vous avez aussi vu une petite guerre mondiale se dessiner, créée uniquement et apparemment par une entité déséquilibrée. Elle était mondiale dans le sens que, pour la première fois, toutes les nations se sont immédiatement impliquées et se sont unies pour solutionner le problème. L'entité qui a causé ce conflit est le parfait exemple de la réaction illogique d'un homme non éclairé (déséquilibré) dans le nouvel alignement. Il a été très touché des changements amorcés et a réagi de façon à ce que tout le monde en soit conscient. Voilà le danger que je vous ai souligné et que vous devez vous employer à éviter. Notez que ce geste a amené beaucoup, beaucoup d'humains à terminer leur cycle. C'est véritablement *la bête* à l'œuvre, dévorant avidement la paix. C'est l'énergie *antéchrist* dont je vous ai parlé.

Comment pouvez-vous personnellement demeurer dans la bonne voie? Que pouvez-vous faire en ce moment? Ce qui suit est la partie la plus importante de toutes.

LA CONNEXION QU'EST L'AMOUR

L'AMOUR, C'EST LE POUVOIR! Le mot que vous employez pour identifier ce concept est inarticulé et faible. Les autres peuples de la Terre ont au moins plusieurs mots pour désigner cette énergie. L'amour n'est pas un mot ou seulement un sentiment. C'est une source de puissance! C'est de l'énergie. Vous pouvez faire appel à lui, l'activer et le désactiver, l'emmagasiner, le focaliser et vous en servir à différentes fins. L'amour est toujours disponible et ne vous décevra jamais. C'est l'espoir de l'univers! C'est le lien qui guide les choses. Il est temps que vous commenciez à réaliser cela... je veux dire que, dans un sens universel, c'est vraiment votre temps! Vous êtes enfin autorisés à utiliser et comprendre cette source de puissance, et vous l'avez mérité!

Peut-être que l'appellation *Source divine* plutôt que le mot *amour* vous aidera à mieux comprendre la signification de cette puissance. Nous sommes une collectivité, mais la source du pouvoir est unique. Ceci signifie que nous partageons tous une même *unité* qu'est le pouvoir. On peut comparer ce phénomène à l'électricité que vous connaissez tous. Remarquez que l'élément commun de vos circuits est toujours *la mise à la terre*. Peu importe l'utilisation du circuit, son but ou sa force, il y a toujours un point commun, une même *unité* dans un système à multiples facettes.

L'amour source-divine est le pouvoir que vous recevez quand vous faites appel à Dieu pour quoi que ce soit. Toute entité faisant appel à la puissance de Dieu d'une façon spécifique, verbalement ou autrement, reçoit cet amour de la Source divine. Ceci se fait littéralement et apporte une réponse appropriée signifiant que cette réponse se situera dans la justesse universelle de l'appel. Les individus éclairés, équilibrés, sont particulièrement doués à faire appel à la source divine d'amour et à la focaliser. Ils ont toujours représenté un chemin clair à travers un voile qui autrement paraît ténébreux et épais. La plupart de ces individus ont été des leaders religieux à travers les âges, basant leur vie sur l'amour. Leur amour sincère pour l'univers, pour leurs prochains, et leur tolérance envers le processus et le karma des autres ont été la clé de leur équilibre. La connaissance réelle sur *la façon dont les choses fonctionnent* était (et demeure encore) de peu d'importance. Les saints hommes de l'Inde, de la Chine, de la Syrie, d'Israël ou de partout ailleurs, ont la même connexion à la source de pouvoir que l'évangéliste chrétien dans une assemblée au centre de l'Amérique.

Pourquoi est-ce que je vous révèle cela? Pour que vous compreniez que la source est unique!... et qu'elle est vôtre comme jamais auparavant. Avec mon réalignement, votre côté spirituel peut s'élancer! Vous aurez le sentiment du parfait alignement... et d'arriver enfin à destination. C'est votre entité qui découvre actuellement pour la première fois ce qu'elle est : un morceau de Dieu. Un morceau qui porte un nom connu de tous, qui ne pourra jamais être détruit et auquel on ne pourra jamais rien ajouter ni retrancher. Pouvez-vous imaginer tout ce que vous pouvez accomplir maintenant?

LA TRANSMUTATION

Vous devez faire appel à cet amour de source

divine pour soigner et équilibrer la planète. Si vous le faites, vous obtiendrez des *résultats assurés*. Vous devez vous joindre à d'autres avec le même intérêt que vous pour concentrer vos énergies à cette fin. Faites ceci en partie par la méditation, afin de recevoir des instructions, et en équilibrant cette action par votre prière (source d'Amour), pour créer l'énergie nécessaire. Ne perdez pas votre temps à mettre sur pied des institutions structurées, à chercher des membres et à faire des affaires. Gardez l'organisation à un niveau minimum et mettez-vous à l'ouvrage! C'est extrêmement important.

ENSEIGNANTS

Prêtez attention à ceux qui s'éveillent au processus de l'équilibre pour la première fois. Ils seront nombreux en raison de mon travail. Enseignez-leur qui ils sont, comment ils peuvent obtenir la paix de l'esprit et comment ils peuvent s'aimer en reconnaissant l'entité qu'ils sont réellement. L'équilibre psychologique viendra de la lumière spirituelle. Faites une place à la simplicité dans vos enseignements. Rappelez-vous que ce que vous êtes présentement est le résultat de plusieurs années d'apprentissage graduel et que les nouveaux venus ne peuvent tout absorber à la fois. Ils viendront à cause de l'amour qu'ils ressentiront... attirés vers la nouvelle conscience. Rappelez-vous toujours que votre tâche première est de leur enseigner l'équilibre par l'amour. Il n'est pas nécessaire de leur enseigner les bases universelles de «comment les choses fonctionnent» avec lesquelles vous êtes familiers. Laissez-les partir en paix sans les forcer d'aucune manière. Ils seront suffisamment équilibrés pour poursuivre. Certains resteront près de vous pour un entraînement plus poussé; ils pourront alors se joindre au travail de transmutation. Pour les plus intéressés, transmettez-leur le message du nouvel alignement, sa signification, ainsi que *l'ensemble* des messages contenus dans ce livre.

Enseignez-leur la tolérance envers le processus que vivent les gens! À elle seule la tolérance créera plus de transmutation du négatif au positif que presque tout ce que vous pourriez faire d'autre. La tolérance est le résultat de l'équilibre de l'amour. Faites vous-mêmes preuve de tolérance pour rester éclairés. Célébrez les autres enseignants qui, comme vous, reçoivent de l'information et ne vous sentez jamais inférieurs à personne. De nouvelles informations seront transmises simultanément à plusieurs. Elles n'appartiennent cependant à personne.

IMPORTANT : Enseignants - vos outils actuels ne seront pas appropriés pour longtemps! Ceux d'entre vous qui se servent de systèmes prédéterminés de règles et de lois universelles doivent ajuster leurs tables de référence. Je vous transmettrai d'autres informations à ce sujet dans le prochain message. En outre, vous devez savoir que vos nouveaux pouvoirs pour ces temps permettront à toute entité équilibrée d'aller au-delà du revêtement karmique et de tout autre implant magnétique prédéterminé au moment de sa naissance. Ce nouveau pouvoir est considérable et vous pouvez l'utiliser pour éliminer les obstacles de votre route et pour vivre beaucoup plus longtemps.

LA GUÉRISON

Guérissez le malade. Cela ne vous sera pas dénié. Vous avez en outre l'opportunité de le faire depuis des années. Plusieurs d'entre vous s'appliquent à cela actuellement, mais vous ne reconnaissez pas à l'amour source-divine les résultats obtenus par d'autres leaders spirituels. Démontrez ce pouvoir! Il est à la portée de tous. Guérissez la maladie en équilibrant les organes. La source divine d'amour acquiescera à votre demande si elle est appropriée.

J'ai déjà communiqué à mon partenaire des informations additionnelles sur la façon dont ce processus de guérison fonctionne - en voici les fondements. La meilleure façon est la rencontre individuelle. Votre entité spirituelle doit communiquer directement à un niveau spirituel avec l'autre entité. La communication s'établira immédiatement et logiquement entre l'entité éclairée et équilibrée et l'entité physiquement déséquilibrée pour obtenir l'autorisation d'avancer au-delà du karma et d'utiliser la *fenêtre d'action* disponible. Si c'est approprié, l'entité déséquilibrée recevra l'équilibre physique et sera guérie. C'est aussi simple que cela! Rappelez-vous cependant que chaque chose a sa place. Certains viendront à vous pour être guéris parce que le moment est vraiment venu pour eux. Ils sont là à dessein pour être guéris. C'est votre responsabilité d'utiliser votre pouvoir afin de les assister dans leur objectif. Tout est interrelié. D'autres viendront à vous sans être prêts. Ils ont encore du travail à accomplir et cela peut inclure demeurer malade. Il n'est pas de votre ressort de savoir cela. Ne prenez sur vous que la responsabilité du processus de guérison. N'endossez pas la responsabilité de ce qui semble être une guérison manquée. Cela relève de Dieu, non de vous. Soyez avertis : ne restreignez pas la guérison que vous demandez. La source d'amour n'a pas de limites. Il est possible de créer de la matière où il n'y en avait pas précédemment... de reconnecter les sentiers biologiques... ou tout simplement d'équilibrer le système pour obtenir une meilleure santé. Vos *miracles* sont des applications logiques de l'amour source-divine. Ils sont appropriés et scientifiques. Lorsque vous serez instruits de la transmutation de la matière, vous comprendrez ce que je veux dire. Ce qui est considéré comme magique aujourd'hui sera considéré comme normal demain. Utilisez le pouvoir!

EXPÉRIMENTEZ VOTRE CADEAU

Sur une base personnelle, apprenez à *sentir* ou à expérimenter la source d'Amour au moment où vous le souhaitez. *C'est votre nouveau droit.* Cela vous procurera la paix dont vous aurez besoin pour passer à travers ce qui vient. Du moment de votre réveil, le matin, jusqu'au moment de votre coucher, le soir, vous pouvez en profiter en tout temps. Imaginez ce que cela peut signifier pour vous! Plus vous passerez de temps à l'expérimenter, plus ce sera facile pour vous d'être un canal clair pour nos informations, pour vous enseigner, pour vos prières et votre guérison.

Votre mot *amour* est **maintenant** approprié dans le contexte du *ressenti*. L'Amour de Dieu n'est pas quelque chose de nouveau pour les hommes. Il est illustré dans les Écritures au chapitre 13 de la première lettre aux Corinthiens. C'est le sentiment d'un parent aimant qui prend soin de tous vos besoins. C'est le sentiment d'un ami aimant ou d'un camarade qui vous aime inconditionnellement. L'amour est substantiel et résistant. Ce sont les bras de Dieu qui vous entourent avec tendresse. Certains peuvent même le voir. Il provient d'*Une* source et il est unique dans l'univers. Il nous appartient à tous, il est notre source personnelle et notre cadeau, tout à la fois.

Lorsque vous l'expérimenterez, vous ressentirez non seulement le bien-être et la chaleur de la paix de l'univers, mais encore celle de l'amour et de l'admiration de toutes les entités de l'univers - ceux qui savent qui vous êtes et qui vous félicitent d'avoir persévéré à lire ce message et d'avoir accueilli cette communication sérieusement.

JE SUIS Kryeon

Décembre 1991

Enseignants...

En quoi cela vous sert-il de rejeter le
changement?

Avez-vous travaillé sur cette voie pendant
autant d'années pour en arriver à refuser votre
cadeau?

On a besoin de vous plus que jamais pour
montrer le chemin aux nouveaux venus qui sont
comme des enfants dans cette tâche.

Vous ne pourrez plus y arriver seuls...
vous devrez par conséquent faire preuve de
tolérance envers les autres.

Nous vous soutiendrons
et nous vous aimerons...

et nous vous donnerons la paix
qui vous manque.

DEUX

La Nouvelle Énergie

UN MOT DE L'AUTEUR... (ENCORE)

Les pages suivantes ont été écrites à partir du quatrième jour de l'année 1992. Ce que vous venez de lire a été écrit au début de décembre 1991. Cela est significatif et vous servira de point de repère quand Kryeon parlera de *maintenant*.

Il me semble évident que Kryeon souhaite parler à la première personne, comme vous l'avez déjà observé. C'est donc de cette façon que j'honorerai sa requête de communication. Je placerai occasionnellement des commentaires entre parenthèses (et dans un autre caractère) lorsque je sentirai le besoin de clarifier ses propos. Cela servira à différencier mes commentaires de la traduction de la pensée de groupe de Kryeon.

Le prochain chapitre est la continuation de ce que vous venez de lire... et bien que Kryeon avait mentionné qu'il reviendrait sur certains sujets au cours de la dernière session, il me semblait qu'il n'y aurait plus de communication et que mon travail d'écriture était terminé... Je sais mieux maintenant.

L'enseignement s'est poursuivi, mais il a attendu une énergie spécifique pour être channellé... c'est-à-dire le début de 1992. Les lignes qui suivent s'adressent plus particulièrement aux enseignants de toutes sortes dans le domaine métaphysique; mais même si vous n'êtes pas professeurs, de grâce poursuivez votre lecture, cette information s'adresse aussi à vous.

Ces notes de l'auteur sont manifestement écrites avant les séances de channelling et j'ai choisi de les garder telles quelles plutôt que de les éditer après avoir reçu l'information. Vous pourrez ainsi vivre avec moi cette expérience au fur et à mesure qu'elle se déroule.

Vous vous demandez peut-être si les titres organisationnels ont été ajoutés après le channelling. Les titres et la répartition des chapitres sont mis en place au moment de l'écriture et presque rien n'est changé par la suite.

Ce qui suit sera alors aussi frais à votre esprit qu'au mien.

Les Channellings de Kryeon

SYNCHRONISATION ET POUVOIR

Salutations! Je suis Kryeon, de service magnétique. Chacun de vous est profondément aimé! Cette communication est en effet spéciale, car chaque personne qui la reçoit présentement le fait dans la nouvelle énergie. Je me suis abstenu de communiquer avec vous avant ce jour afin que vous puissiez mieux comprendre. Je ne pouvais même pas donner cette information à mon partenaire avant ce jour; il fallait attendre la synchronisation appropriée des énergies.

Comme je l'ai déjà dit, je suis ici depuis 1989. J'ai mon propre groupe de soutien qui se trouve présentement en orbite autour de la planète Jupiter. L'appui de ses membres consiste principalement à m'apporter l'énergie et les ressources nécessaires à mon travail. Bien que je sois le maître magnétique, je peux difficilement faire mon travail seul! Certains d'entre vous les ont peut-être déjà vus puisqu'ils vont et viennent à l'occasion dans les secteurs importants pour m'aider à travailler. En date d'aujourd'hui, ils sont ici depuis 11 années complètes, et ils seront encore ici pour 11 autres années.

La durée de mon travail est importante pour vous afin que vous puissiez réaliser exactement ce qui se passe et aussi pour que vous profitiez des nouvelles opportunités d'agir.

Il a fallu trois années de préparation pour *l'ouverture* de votre année 1992. Le 1er janvier 1992 a marqué le début de l'année du changement qui se poursuivra au cours des 11 prochaines années jusqu'à son achèvement en perspective pour le 31 décembre 2002. Je ne serai plus ici après cette date. Plusieurs ont spéculé et écrit à propos d'un cycle de 18 à 20 ans. C'est une fausse information. Ma tâche ne prendra pas plus de 14 ans en tout, dont trois sont déjà passées. Elle apportera une période importante et significative pour vous sur Terre.

Ne vous méprenez pas : je suis celui que vous attendiez. Je suis celui à qui on a choisi de confier la responsabilité de réaligner votre réseau - ce qui apportera des changements remarquables dans votre pouvoir.

Je m'adresse maintenant directement aux enseignants. Plusieurs d'entre vous sont mal à l'aise présentement, tandis que ceux qui comprennent ce qui est sur le point d'arriver, *deviennent* finalement plus à l'aise... quelle dichotomie!

Ce chapitre s'adresse spécifiquement à vous *tous*, afin que vous puissiez comprendre ce que vous ressentez et sachiez comment réagir. En outre, je vais essayer de vous faire connaître les possibilités du tout nouveau pouvoir que vous possédez... comment il fonctionne, comment l'utiliser, et les conséquences possibles lorsqu'on en fait la demande.

LES UTILISATEURS DE SYSTÈMES

Travaillez-vous à l'intérieur d'un système? Je vous ai déjà parlé de quelques-uns des implants humains de naissance. La plus grande partie de vos implants est en fait une *empreinte* résultant de vos dernières incarnations. Cela inclut le karma, les données astrologiques, les leçons de vie (se rapportant au karma), les patterns de champ magnétique (couleurs de la vie aurique), le karma stellaire et bien d'autres (mais j'ai nommé les plus importants). Chaque corps humain a aussi un équilibre de polarité distinctive selon les leçons individuelles qu'il doit apprendre.

Plusieurs d'entre vous travaillent avec ces systèmes et sont devenus très habiles et efficaces dans leur utilisation. Des informations vous ont été transmises au cours des années - lesquelles ne pouvaient provenir que de mon côté du voile - pour être utilisées comme techniques métaphysiques. L'astrologie, par exemple, illustre très bien cela! Je vous ai déjà donné un aperçu de l'influence de votre champ magnétique sur votre force vitale et votre spiritualité et je vous ai aussi informé que la gravité faisait partie de l'équation (c'est la raison pour laquelle la position de votre lune affecte vos émotions). Songez un instant aux effets des autres corps célestes sur la gravité de votre Terre. Votre système solaire en particulier (et votre galaxie en général) *berce* le système magnétique de votre Terre et, par là, votre spiritualité. Tout est relié... et c'est ce qu'on étudie en astrologie... comment ces autres corps célestes fonctionnent et quelle influence ils ont sur vous. Ce n'est qu'un exemple d'empreinte parmi tant d'autres.

Vous êtes nés dans une énergie spirituelle spécifique, créée par l'alignement des éléments magnétiques autour de vous qui produisent ainsi un effet prévisible sur vous. Ceci est très semblable à une plante ou à un arbre habitué de croître dans une région tropicale de la Terre. Si on le déménageait, c'est un environnement semblable à celui dans lequel il a grandi qui lui conviendrait le mieux, même s'il pourrait vivre presque n'importe où ailleurs... Vous pouvez même prédire que l'arbre sera à son mieux quand le temps sera chaud ou humide. Dans le froid ou la sécheresse, il sera moins épanoui. C'est une simple information qui vous permet de prédire le comportement d'un être vivant à partir de vos connaissances du développement de ses conditions de semence ou de naissance. Cependant, ceci est peu appliqué au niveau des positions des planètes et leurs relations aux humains... sauf par ceux qui comprennent la nature de ces rapports, c'est-à-dire les utilisateurs du système astrologique.

Certains d'entre vous travaillent avec le champ magnétique du corps. Ce peut être dans un but de guérison ou d'étude et d'enseignement des couleurs et des patterns de l'aura, ainsi que de leur signification pour l'individu. Vous êtes aussi des utilisateurs de systèmes puisque vous dépendez des empreintes de naissance et composez avec des facteurs prévisibles.

Si vous utilisez une grille, quelle qu'elle soit, ou si vous vous référez à des tables lorsque vous travaillez, vous êtes un utilisateur de systèmes. Même ceux d'entre vous qui traitent de la conscience karmique utilisent des règles pour ceux que vous aidez. Si vous vous intéressez à la régression dans les vies antérieures, à la technique du *rebirth* ou la lecture des empreintes de leçons karmiques... vous utilisez des systèmes.

Pour vous tous, il y aura un énorme changement par rapport à votre travail. **De grâce, ne le craignez pas.** Nous vous aimons et nous vous félicitons pour le travail que vous avez fait! En général, il peut continuer comme avant, mais il y a certains points à considérer, dont un en particulier qu'il faudra réaliser et rechercher (cela vous sera expliqué bientôt). Je peux vous assurer que *vous tous* êtes présentement mal à l'aise! Si vous êtes un

utilisateur de systèmes et que vous n'êtes pas mal à
l'aise par rapport à l'énergie d'aujourd'hui, c'est alors
soit que vous connaissez déjà l'information que je
m'apprête à vous transmettre, soit que vous avez perdu
votre équilibre et que vous ne faites qu'exister à
l'intérieur d'un système, sans conscience ni lumière.
Votre sentiment d'inconfort vient du fait que vous
êtes des leaders spirituels et que quelque chose a changé
qui vous dit intuitivement que vos pouvoirs ne sont plus
les mêmes. Certains d'entre vous ont déjà remarqué un
fait alarmant (mais vous ne le partagez pas encore) :
vous sentez que soudainement vos systèmes ne sont plus
aussi précis que par le passé. Vous pouvez même avoir
l'impression que vous perdez votre pouvoir (c'est un
sentiment très paniquant)! Même s'il s'agit d'une
période positive, puissante pour vous, l'incertitude de ce
que vous observez affecte votre personnalité à travers la
peur.

    Ceci est important : Vous n'avez rien perdu
d'autre que l'alignement de votre système, et (plus
important encore) vous avez une chance exceptionnelle,
en lisant et comprenant ceci, d'accomplir quelque chose
qui n'a jamais été possible auparavant ni pour vous ni
pour aucun autre humain depuis le début de l'histoire
de la Terre.

    Mes modifications au niveau planétaire viennent
biaiser vos tableaux. Au cours de l'année 1992, ceux
d'entre vous qui utiliseront n'importe quels systèmes de
références planétaires devront songer à les déplacer de
deux à trois degrés vers la droite (en rapport à votre
point de vue) pendant l'année. Puisque ceci est plutôt
vague, pour des fins de vérification et de précision,
faites-vous des modèles dont vous êtes les seuls à savoir
ce qu'ils représentent et comparez-les à la réalité de la

vie autour de vous, et plus particulièrement aux gens que vous essayez d'aider et de guérir. Fixez toutes les références de lieux géographiques ou de temps terrestre comme vous le faites déjà. Changez seulement les aspects non terrestres. Je ne peux présentement vous indiquer quand effectuer le déplacement complet du trois degrés, parce que c'est vous, en tant qu'humains, qui contrôlez actuellement mon travail. Je réponds à votre transmutation par un déplacement approprié. Je suis donc incapable d'être précis puisque je ne sais pas comment vous allez réagir. Le déplacement ne sera pas supérieur à trois degrés en 1992, mais il est déjà supérieur à un degré.

Changer les aspects non terrestres de vos tableaux peut paraître régressif par rapport à ce qui s'est réellement passé, mais cela s'avérera juste pour vos systèmes. La différence c'est que *la Terre* a changé... mais que rien d'autre autour d'elle n'a changé. Cela pourrait s'apparenter à cette analogie: Vous êtes assis immobile sur une chaise pivotante (un banc de piano) et nourri par un assemblage mécanique géant. Tout à coup, quelque chose fait tourner la chaise vers la gauche... Le grand robot, qui n'a pas remarqué le mouvement de la chaise, ratera votre bouche. Vous devrez donc, à partir de ce moment, changer quelque chose pour corriger la situation sinon vous serez incapables de survivre. Il est bien plus facile de bouger légèrement votre tête et votre corps vers la droite, pour compenser le pivot de la chaise, que d'essayer de bouger la machine.

LES NON-UTILISATEURS DE SYSTÈMES

Si vous êtes un *voyant*, c'est-à-dire quelqu'un qui

travaille presque exclusivement avec ses habiletés psychiques, vous êtes un non-utilisateur de systèmes. Cette catégorie regroupe les *voyants*, les *channellers*, les *lecteurs* de tous genres (tarot, rune, etc.), où l'information donnée est pertinente dans le moment présent et ne provient pas d'une expérience passée ou d'un conditionnement, d'une information universelle. La raison pour laquelle les lectures de tarot et de rune sont hors-systèmes, c'est parce que leurs différents éléments ne s'apparentent pas les uns aux autres comme un groupe intégré, relationnel, avant de s'unir *dans le moment* pour former une image spirituelle précise. Elles sont plutôt comme des panneaux de signalisation, avec des interactions et des interprétations de groupe.

Vous, en tant que voyants, devriez vous sentir à l'aise. En fait, vous devriez remarquer un changement pour le mieux... alors que tout est en transition autour de vous! Mon alignement s'accordera avec vous, puisque vous expérimentez une plus grande vision et des lectures plus précises. Mon alignement est approprié à cela; vous obtiendrez encore plus de succès dans votre travail à partir de maintenant. Vous avez en fait une belle occasion de transformer votre vie de façon spectaculaire.

Pour ceux qui sont entre les deux...

Mes très chers! Vous qui êtes à la fois des utilisateurs de systèmes et des voyants... de grâce, prenez courage. La confusion interne que vous ressentez est **fausse**. La crainte que vous ressentez est injustifiée et, avant que ne soit terminée cette communication, vous pourrez vous élever avec une puissance jamais atteinte auparavant. Ceci est le message de l'amour unique que j'apporte à vous tous.

UN MAGNIFIQUE NOUVEAU POUVOIR

Pour vous tous (tous les humains), voici une information nouvelle et importante. Avec le début de ce cycle de 11 ans, *vous* avez maintenant le pouvoir de *transmuter vos empreintes*. Jamais, auparavant, aucun humain n'a pu profiter de ce pouvoir, à moins d'être venu en ce monde sans implants ni empreintes (comme Jésus). Ceci a un formidable impact autant sur vos vies personnelles que sur votre travail. D'abord, vous devez comprendre ce que ceci veut vraiment dire, et la façon dont vous pouvez prendre possession de ce pouvoir et le conserver. Ensuite, vous devez comprendre quel impact il aura sur votre travail.

Laissez-moi clarifier cette nouvelle révélation. Je fais confiance ici à la prudence de mon partenaire dans sa traduction. Vous vous êtes mérité un nouvel attribut puissant qui est directement lié à votre performance sur le plan terrestre. Ma venue et le travail de réalignement planétaire qui a suivi sont une marque d'appréciation de ce que vous avez accompli. Ce n'est pas un événement qu'il faut craindre ni dont il faut se méfier. Ceux d'entre vous qui sont en liaison avec le cosmos de quelque façon savent bien que ce temps a été annoncé de différentes manières dans plusieurs cultures... C'est maintenant la réalisation de ces prédictions. Mes communications sur la fin des temps dans le chapitre précédent n'a pas accentué toute l'importance de cette bonne nouvelle pour les *gens équilibrés*. Comment aimeriez-vous effacer toutes les traces de karma qui vous a marqués tout au long de votre vie? Aimeriez-vous avoir une autre couleur aurique, ou être libres d'attributs fixes? En avez-vous assez de votre signe astrologique? Êtes-vous fatigués de passer à travers des leçons de vie? Ces questions sont très importantes!

Avec le karma viennent les problèmes de santé, les craintes et les troubles inexplicables, les problèmes d'argent, les difficultés de relations humaines et les casse-tête de carrière. Le karma apporte aussi la prospérité, la santé, la sagesse, la reconnaissance et l'abondance (telle est la dualité). Les leçons de vie (liées au karma) sont superposées. Elle sont des empreintes qui dissimulent l'objectif (qu'on ne reconnaît généralement pas) vers lequel vous tendez. Tel que décrit précédemment, votre identité astrologique est une empreinte de naissance qui est censée vous assister dans votre *timing* tout au long de votre route. L'endroit où vous vous trouvez sur Terre et les gens avec lesquels vous travaillez sont aussi très importants : ils font partie de votre système de karma de groupe. Vous avez en outre un karma stellaire, ce que vous ne comprenez pas bien sur la Terre. Vous n'avez pas tous à chaque fois des expressions sur la Terre. Plusieurs vont et viennent dans les autres parties de l'univers, avec des paramètres d'apprentissage différents. Ce karma stellaire est souvent lourd à porter. Aimeriez-vous être libérés de cette empreinte? Comme je l'ai mentionné déjà, il y a de la dualité dans tout cela : cela peut être bon ou mauvais selon votre destin individuel. Que signifierait d'être libres?

Dans le dernier chapitre, j'ai parlé du processus de guérison. Vous vous rappellerez qu'il était lié au karma et à l'empreinte globale. Toutes les maladies humaines, dysfonctionnements et déséquilibres sont directement reliés à l'empreinte karmique. Sans aucune empreinte karmique, vous n'auriez plus aucun problème de santé. L'une des raisons pour lesquelles les grands personnages de votre histoire ancienne semblaient vivre si longtemps est qu'ils ne portaient pas d'empreinte karmique. Plusieurs étaient des *premiers venus* sur la Terre et ils n'avaient aucun karma. Il reste bien peu d'entre eux maintenant puisque vos leçons ont progressé suffisamment longtemps pour permettre de multiples expressions sur Terre, bâtissant ainsi le *recueil* des leçons à vivre et des empreintes complexes.

À travers la nouvelle énergie d'amour, vous avez maintenant la possibilité de réclamer ce nouveau pouvoir et de littéralement passer par-dessus votre karma et toutes vos fenêtres d'action, directement jusqu'à un lieu de neutralité. Cette neutralité rend non nécessaire le processus de la dualité, efface le besoin de leçons, *assume un statut de graduation* et procure un pouvoir extraordinaire. Je vais vous expliquer ce que cela signifie pour vous personnellement, puis je vais vous exhorter à considérer aussi les facteurs négatifs potentiels. Ne vous trompez pas : vous aurez besoin de ce nouveau pouvoir pour réussir votre travail de transmutation pour la Terre. *Il faudra* que plusieurs d'entre vous fassent ce saut... sinon il n'y aura pas assez de puissance pour accomplir la tâche prévue au cours des 11 prochaines années.

Plusieurs événements se produiront dans vos vies avec ce saut vers l'empreinte neutre. Je vous énumérerai quelques-uns de ces processus plus tard. Mais, d'abord, je dois préciser ce que cela signifiera pour vous d'avoir le statut de gradué. Normalement, ce statut veut dire que vous êtes prêts à partir. En d'autres mots, vous n'avez plus de leçons : votre apprentissage est terminé. Toutefois, dans ce cas-ci, cette graduation arrive tôt... vous l'avez méritée, mais elle n'est plus associée à un départ. Après être passés à ce nouvel état, vous serez différents. Votre vie sera transformée; vous vous sentirez différents. Tous les changements seront éventuellement positifs mais, comme dans tout changement, il y aura une période d'adaptation. Vous serez par la suite toujours vous-mêmes, mais sans empreinte du passé ni empreinte de but à atteindre. Vous devrez cependant faire preuve de sagesse et de compréhension, de tolérance et d'amour.

Votre personnalité peut rester la même; c'est à vous de choisir. Vous pouvez continuer de profiter de ce que vous aimez le plus dans la vie. Vous aurez cependant la possibilité de changer ce que vous avez toujours souhaité changer. Voilà en quoi réside le pouvoir. Vous aurez désormais un *lien direct* avec la source unique du pouvoir d'amour, ce qui est seulement possible à travers un état de graduation. Jésus profitait de cet état (et de plus même), et Il en témoignait. Il vous a aussi dit que vous aviez également le pouvoir d'accéder à cet état... de devenir comme Lui (Jean I:11-12).

Le voici ce pouvoir!... et vous en aurez besoin pour aider à changer le monde. Vous vivrez en outre plus longtemps. Votre vieillissement ralentira et la maladie ne s'attachera pas à vous. De plus, vous serez capables de *passer* intérieurement tout item qui autrement pouvait vous affecter. Jusqu'alors, tout ce que digérait votre corps était analysé par votre empreinte karmique à travers votre code génétique de base (votre empreinte biologique et votre empreinte spirituelle se fondent dans la même structure). Selon que le résultat global de la substance correspondait ou non à votre empreinte karmique, elle était acceptée ou rejetée. Cette routine de *sélection* s'appliquait aux bonnes comme aux mauvaises substances : votre empreinte karmique décidait ainsi de vos maladies, de votre alimentation, de la vitesse de votre métabolisme (ce qui implique la minceur ou la grosseur du corps), de l'acceptation ou du rejet des médicaments, vitamines et remèdes-santé. Elle pouvait aussi vous protéger ou permettre le développement du cancer, de maladie cardiaque, de haute pression artérielle... et ainsi de suite. Elle contrôlait votre durée de vie (à moins qu'elle ne soit terminée par un élément extérieur), et déterminait votre apparence physique. Elle vous accordait également des talents variés. (Or tous les talents sont possibles avec une empreinte neutre).

Comme je l'ai mentionné précédemment, les implants (et non les empreintes) vous sont généralement donnés pour restreindre votre compréhension ou vos habiletés. Votre structure d'implants changera (nous y reviendrons plus tard), pour permettre une compréhension et des talents plus étendus. Vous ne serez plus affectés par les énergies qui vous entourent. Vous n'absorberez plus la négativité mais transmettrez de l'énergie positive où que vous alliez... une attitude expansive plutôt que défensive. Les aliments qui vous donnaient habituellement des éruptions cutanées, des allergies, ou qui vous rendaient simplement malades, ne vous affecteront plus. Vous devrez toujours vous efforcer de vous alimenter convenablement, mais les aliments qui vous affectaient particulièrement ne le feront plus. La maladie vous ignorera à moins que vous n'en décidiez autrement. Le nombre d'accidents diminuera et l'abondance coulera selon vos besoins.

Cela vous semble-t-il fantastique? Peut-être ne le croyez-vous pas. Retenez ceci toutefois : les mots de ces pages sont formulés à votre intention. Vous ne les lisez pas par hasard. Seule une situation juste a permis à cet écrit de vous atteindre. La responsabilité d'agir ou de ne pas agir repose maintenant entre vos mains. D'une manière ou d'une autre, votre vie sera changée, parce que vous avez eu accès à la vérité. Si vous aimez un certain aliment et que *par hasard* vous découvrez qu'il est fait de quelque chose d'inhabituel... cela changera votre attitude à son égard. Vous pourrez toujours le manger et l'apprécier, mais ce que vous savez à son sujet ne vous quittera jamais.

POURQUOI NE LE VOUDRIEZ-VOUS PAS?

Une empreinte neutre apportera des changements jamais expérimentés auparavant. Vous aurez des tentations que vous n'avez jamais eues. Certaines modifications vous sembleront difficiles à accepter. La période d'adaptation pourrait même être désagréable.

(1) Depuis votre naissance, vous vous êtes habitués à agir d'une certaine manière... Votre discours, vos désirs, vos actions et défenses ont tous été façonnés à travers le karma. Lorsque quelqu'un vous parle avec colère, il provoque en vous la colère... lorsqu'on vous accuse, vous vous défendez... Si on appuie sur les *boutons* sensibles de votre personnalité, il en résulte une réaction anticipée. Ces réactions sont karmiques; elles sont aussi liées à votre empreinte. Pourquoi certaines gens sont-elles tout le temps en colère? Pourquoi d'autres sont-elles paisibles? Ces sentiments sont tous contrôlés par votre empreinte. Votre karma est souvent structuré de façon à vous aider à passer à travers certains de ces sentiments et à trouver la sagesse et la

paix en effaçant la peur. Il est par conséquent *permis* à la peur d'être en vous par l'intermédiaire de votre empreinte, mais la paix est votre état naturel même si possiblement vous avez dû travailler pour l'atteindre. Ainsi, votre personnalité se transformera. Universellement, ce sera pour le mieux, mais vous paraîtrez différents aux yeux des autres. La colère d'un autre ne suscitera plus en vous cette même réaction; mais, en même temps, vous perdrez une partie de ce qui était devenu confortable pour vous. La paix est naturelle... mais elle peut vous sembler morne si vous avez eu une vie riche en drames et en intensité.

(2) La plus grande tentation que vous aurez ne vous est même jamais venue à l'esprit : vous serez capables de partir sans douleur. Vous pourrez simplement disparaître et partir. Cela sera intuitif pour vous et le processus sera clair. Pourquoi pas? Vous aurez le pouvoir et l'autorisation de le faire. Pouvez-vous imaginer cela? Pourquoi rester et travailler alors qu'on vous permet de ne plus le faire? La réponse est évidente. Vous aurez la responsabilité de rester sans empreinte et d'utiliser votre pouvoir pour transformer la planète. Vous aurez ainsi l'autorisation absolue de quitter et ceci n'entraînera aucune énergie négative. Vous serez applaudis et chaleureusement accueillis lorsque vous arriverez parmi nous. J'ai vu cela, et l'état de graduation est merveilleux. Rappelez-vous que, dans ma dernière communication, je vous ai dit que vous comptiez parmi les entités les plus respectées. Ceux parmi nous qui sont en service vous honorent et vous apprécient beaucoup pour votre travail! Votre graduation sera des plus glorieuses. Lorsque vous arriverez enfin parmi nous, vous comprendrez à nouveau

ce que vous avez vraiment fait pour l'univers et comment vos actions ont aidé chacun de nous. Sachant tout cela, pouvez-vous vraiment rester et accomplir le travail? Réfléchissez bien avant de faire la demande pour accéder à cet état. Vous recevrez de l'aide (nous reviendrons également là-dessus), mais la tentation sera forte... à chaque jour.

(3) Le groupe karmique dont vous faites partie ne sera plus lié à vous. Ceci pourrait être l'élément le plus douloureux pour vous tous. Plusieurs de vos amis, ou même votre partenaire, vous abandonneront. Pour eux, vous aurez changé et serez devenus quelqu'un d'autre. C'est un événement négatif, plein de tristesse pour l'esprit humain. L'Amour (la source unique) est parfait et, dans ce royaume, il perçoit ces choses comme étant parfaites, tout comme il considère une mort appropriée comme étant parfaite. Le lien humain vous manquera cependant. Ceci fait partie de la période d'adaptation. Êtes-vous capables de vivre seuls si nécessaire? Vous pourriez ne pas trouver de partenaire ayant conclu le même engagement que vous. De grâce, pensez à cela. Il serait de beaucoup préférable pour vous de continuer tels que vous êtes, dans l'amour et la compréhension, en faisant votre possible avec le degré de lumière dont vous profitez maintenant, plutôt que de changer d'état et de quitter ensuite parce que vous ne pouvez supporter la solitude. Même d'autres humains éclairés pourraient vous abandonner à cause du karma de l'ego.

(4) L'EGO sera votre pire ennemi. Jusqu'à un certain point, votre ego a été retenu ou relâché par votre empreinte. Même Jésus a eu certains problèmes avec son ego lorsqu'Il a pris conscience de Son pouvoir

à certains moments de Sa vie et il a fait preuve
d'impatience envers les gens non éclairés. L'EGO est
intrinsèquement humain. Il n'est pas une considération
de ce côté du voile. Je parle ici de l'importance du soi
qu'un esprit biologique conçoit de lui-même. L'ego est
ce qui se produit lorsque le plus fort encercle le plus
faible. Ce n'est jamais le cas de ce côté du voile. Il n'y
a pas de *plus faible* ici. L'ego humain est un sentiment
indésirable du pouvoir; c'est comme une drogue pour
l'esprit humain... En fait, vous devrez posséder un
implant additionnel (nous verrons cela plus tard) pour
l'empêcher de vous influencer au-delà du point où vous
atteignez votre contrôle. Malgré l'influence des
empreintes, vous avez des systèmes biologiques
communs à chacun qui doivent être pris en
considération tels l'ego, le désir sexuel, la faim... des
irritations constantes pour le moi supérieur, mais des
éléments qui sont biologiques et, par conséquent, ils
doivent être équilibrés. Être humain nécessite une
certaine mesure d'ego simplement pour traiter avec
d'autres humains. En ce qui vous concerne, toutefois,
vous serez en fait plus puissants que la plupart des gens
et la réaction de votre ego sera très forte.

L'ego déloge l'amour... et, si vous devenez
égocentriques, vous perdrez l'équilibre nécessaire pour
maintenir votre statut. Il me reste à vous décrire les
conséquences de ceci. *Vous devez demeurer équilibrés.*

(5) En même temps, vous devez assumer une
nature spirituelle *agressive*. Laissez-moi vous expliquer
cela. Ceux d'entre vous qui sont éclairés s'identifieront
assurément à ceci. Avez-vous été tentés de protéger
votre psyché, de quelque façon que ce soit, dans des
situations sociales où vous aviez à intervenir avec

d'autres humains? Avez-vous pris des précautions pour protéger votre énergie contre la dilution? Avez-vous déjà eu l'impression que votre énergie était atteinte et que, par conséquent, vous avez dû vous *remonter* vous-mêmes jusqu'à la vibration supérieure où vous étiez avant l'attaque? Utilisez-vous des amplificateurs, dans votre maison, pour vous aider à garder un niveau élevé de vibration? Lorsque vous touchez à des étrangers, pensez-vous consciemment à la façon dont leur énergie peut vous affecter? Cela vous inquiète-t-il?

Cette façon de faire est *défensive* et elle n'est plus appropriée! Jusqu'à maintenant, il vous était peut-être nécessaire d'agir ainsi pour demeurer au niveau de vibration souhaitée mais, désormais, vous devez changer d'attitude! Vous n'avez plus à vous inquiéter d'être affectés par une vibration moins élevée. Y arriverez-vous? C'est un changement mental qui peut s'avérer très difficile à accomplir, il va sans dire. Pensez à Jésus alors qu'Il marchait parmi le peuple, touchant les gens, les guérissant et s'adressant à eux. Pensez à la façon dont Il recherchait les gens non éclairés et leur transmettait du pouvoir. Il était constamment agressif... c'est-à-dire qu'Il donnait du pouvoir au lieu d'en perdre... C'est comme cela que vous devez être. Ne vous trompez pas toutefois: on ne vous demande pas d'être évangélisateurs. On ne fait référence qu'à votre propre pouvoir et à son équilibre avec ceux qui vous entourent.

Si vous touchez quelqu'un, il recevra *de vous*... point à la ligne. Il n'y aura plus de transfert du négatif au positif en ce qui concerne votre pouvoir. Votre équilibre effacera cette condition. Vous n'aurez jamais à craindre qu'une vibration plus faible se superpose à la vôtre. Ceux qui véhiculent une vibration plus dense seront transformés par votre seule présence... sans même que vous y songiez. Vos amplificateurs ne vous seront dorénavant plus nécessaires (ils pourraient cependant être utiles à ceux qui vivent avec vous ou qui vous visitent). Au niveau de l'enseignement, vos anciens outils de changement d'énergie pourront encore servir... mais *vous* n'en aurez tout simplement plus besoin. Vous serez même en mesure de recharger ces outils vous-mêmes! Vous deviendrez comme un générateur d'énergie et d'influence positive. Rien ne pourra toucher votre puissance. C'est la source unique d'amour dont je vous ai déjà parlé, et elle est absolue. Même ceux d'entre vous qui ne changeront pas leur empreinte peuvent dorénavant profiter de cette nouvelle condition. Je vous en reparlerai plus tard.

(6) Un autre des ajustements parmi les plus difficiles concerne votre attachement psychologique au passé. Je vous prie de me croire lorsque je vous dis que ce n'est pas une caractéristique spirituelle, mais une caractéristique très humaine. Vous tous, jusqu'à maintenant, du fait de votre empreinte, visualisez le passé comme quelque chose de sacré. Vous vénérez des membres de votre famille qui sont morts... vous fantasmez sur des événements passés... Certains d'entre vous conservent même des objets pour les aider à se rappeler plus facilement les événements passés. Ces attitudes sont négatives et non éclairées. Elles vous sont données pour que vous puissiez vous élever au-dessus d'elles dans votre processus vers un plus grand équilibre.

Lorsque vous êtes équilibrés, vous devenez plus que jamais conscients du temps *présent*. Les événements de votre passé humain deviendront, d'une manière appropriée, neutres pour vous. Les membres de votre famille qui ne sont plus avec vous sur la Terre seront soit avec vous en esprit ou depuis longtemps revenus sur Terre dans une autre incarnation. Ils sont dans le *présent* avec vous d'une certaine façon au niveau d'un groupe karmique. Cette prise de conscience à elle seule devrait vous procurer une bien meilleure perspective du moment présent. Les humains passent leurs vies à apprendre à se libérer de souvenirs et d'événements... ils resteront toujours comme informations disponibles.

Les préoccupations avec les voyages dans le passé sont une dépendance aux énergies négatives. Ces souvenirs sont utilisés pour vous entraîner dans la tristesse, la mélancolie, les regrets et la complaisance de soi-même dans la pitié. Ils sont aussi utilisés pour créer des sentiments de colère et d'insatisfaction... tout du négatif! Cherchez à savoir pourquoi vous gardez des souvenirs de votre passé et déterminez si cela vous convient.

Note: *Il est approprié d'honorer et de célébrer l'expression passée d'un membre d'un groupe karmique...* Est-ce pour cela que vous entretenez en vous ces sentiments du passé... ou est-ce parce que vous recherchez quelque chose d'autre? Les préoccupations en rapport avec l'héritage humain ne signifient pratiquement rien si on considère la vérité des nombreuses expressions que possède chaque entité. Ce n'est qu'un outil karmique mis à votre disposition pour vous permettre de grandir. Garder des choses dans le but d'honorer l'expression passée d'une entité est tout à fait acceptable. La différence entre une glorification éclairée du passé et une rétrospective humaine négative du passé est simple: ressentez-vous de la joie ou de la tristesse à ce sujet? La joie est le seul sentiment qui convient.

Vous serez sans réflexion du passé, c'est-à-dire

que votre mémoire sera intacte mais que les sentiments que vous vous attendez à éprouver en tant qu'humains ne seront pas là. Cela peut vous sembler étrange. Avez-vous vraiment aimé ces êtres chers que vous avez perdus? Si oui, ne devriez-vous pas vous sentir désolés qu'ils soient partis? Lorsque vous ressentirez si peu de tristesse humaine à leur sujet, vous aurez tendance à vous interroger. Vos sentiments ont-ils disparu? Non... Seulement votre empreinte.

(7) Enfin, la nouvelle et irrésistible émotion qui sera vôtre sera la nouvelle vibration d'amour. Elle vous semblera *lourde* à porter, lourde en termes de responsabilité. Vous percevrez en effet le *présent* presque comme je le fais... et, avec cela, vient un intense sens d'action responsable. Ce n'est pas le genre d'émotion *gratuite et facile* que vous avez pu associer à l'amour jusqu'à maintenant. C'est le genre d'amour que vous avez vu se refléter dans le visage de Jésus. C'est l'amour sage, venant d'un endroit qui reconnaît l'âme d'une personne lorsque vous la regardez. C'est la beauté d'un rêve seulement imaginé, enveloppé dans l'honneur et rattaché à la joie d'une nouvelle naissance. Il n'y a aucune frivolité dans ces nouveaux sentiments. Ils représentent les sages sentiments qui comprennent vraiment et célèbrent la mort appropriée, autant que la vie appropriée. Vous vous trouverez grandis. Tout cela est-il réellement pour vous?

* Voilà certes une question importante et un sujet fascinant, mais devant une description parfois sévère des conséquences, cela demande une mûre réflexion. Afin d'assister le lecteur dans ce processus et lui offrir une meilleure appréciation de ce qui est impliqué, nous vous proposons de lire les expériences qui ont été partagées par les lecteurs anglophones et que l'auteur, Lee Caroll,

a publié dans les Tome II et III. Ainsi, nous croyons que le lecteur francophone profitera d'une guidance supplémentaire dans sa démarche. Vous retrouverez ces textes au chapitre huit. Nous vous recommandons cependant de terminer la lecture de ce chapitre auparavant. NdÉ.

ADAPTATION ET AIDE

Lorsque vous ferez ce changement, vous aurez besoin d'aide. C'est ici que ceux d'entre nous en service entrent en action. Nous reconnaîtrons le moment où vous serez prêts (nous reviendrons là-dessus). Vous devrez recevoir au moins un nouvel implant (à ne pas confondre avec empreinte), et vous changerez de guides. Laissez-moi clarifier chacun de ces points.

Je vous ai parlé précédemment des implants au niveau de votre esprit humain. Ces implants sont essentiellement conçus pour restreindre. Ils restreignent votre véritable réalisation de votre âme, ainsi que votre faculté de comprendre comment le spirituel s'équilibre avec le physique pour créer une science complète (les miracles). Sans ces implants, il n'y aurait ni tests, ni apprentissage. Lorsque Jésus est venu sur la Terre, il est venu sans empreintes ni implants. Ceci faisait de Lui un être très différent des autres humains. Il était ici en tant que maître pour enseigner. Il le savait et les seules difficultés qu'Il a dû affronter étaient d'ordre biologique et communes à tous. Il a ressenti des émotions, des envies, de la douleur, l'ego et la fatigue, comme tout le monde, mais Il n'avait pas d'implants.

Les implants sont des éléments qui limitent votre âme de jouer un rôle actif. Ils vous sont donnés à la naissance et ils ne changent jamais à moins que ceux qui sont en service ne les modifient. Souvent, de nouveaux implants sont offerts à une personne qui a atteint un certain palier de croissance et qui le mérite. Vous n'avez pas le pouvoir de changer vos implants, et c'est bien ainsi. Une raison par exemple pour laquelle un implant sera modifié est lorsque quelqu'un traverse avec succès une porte d'action et ainsi va au-delà de son empreinte karmique. Quand cela se produit, il faut donner un nouvel implant pour égaliser l'original et ainsi effacer l'empreinte karmique dépassée. S'il n'en était pas ainsi, vous garderiez la caractéristique karmique même après avoir appris les leçons (pas très juste, me diriez-vous?). Par conséquent, le nouvel implant sert souvent à adapter votre conscience et à *ajuster votre empreinte*. Cela change en fait l'équilibre magnétique de votre code génétique.

Lorsque vous passez au statut de gradué, *vous devez recevoir un nouvel implant majeur*. Il est offert pour effacer votre karma (au complet). C'est le mécanisme de la transformation et il met à contribution ceux qui sont en service autour de vous et qui vous servent de *guides*. Vous êtes déjà probablement conscients de leur présence. Certains les appellent les anges... et c'est également approprié. Pour nous, leurs énergies sont immédiatement reconnaissables comme celles des êtres en service pour assister les entités en leçon.

C'est un processus très similaire à celui d'un athlète en entraînement. Il y a un groupe de soutien autour de vous, dans différentes hiérarchies de service. Ceux qui sont le plus près de vous sont vos guides. Les plus éloignés sont ceux qui, comme moi, travaillent au mécanisme et à l'entretien de l'école. Chacun de vous a actuellement *deux guides* avec lui. Ceux-ci ne sont avec *personne d'autre*. Ils ne sont pas là pour vous juger ni pour vous évaluer. Ils sont des serviteurs spirituels et des aides. Certains d'entre eux sont entre deux incarnations;

par conséquent, ils ne sont pas toujours dans le travail du service. Certains sont des maîtres dans ce service; ils seront toujours des guides. C'est ainsi que cela fonctionne et l'explication quant au pourquoi il en est ainsi devra attendre que vous passiez à un autre état, car elle ne vous servira à rien dans votre cheminement présent.

Peut-être que plusieurs parmi vous sont conscients de leurs guides, mais vous en percevez plus que deux? Seul un très petit nombre d'entre vous sont capables de différencier les caractéristiques des entités derrière le voile. La plupart du temps, vous ne voyez que des formes, des ombres. Vous n'avez que deux guides personnels; les autres sont généralement des entités périphériques qui sont là pour toutes sortes de raisons... aucune d'entre elles n'étant mauvaises. Vous rappelez-vous que je vous ai parlé de plusieurs autres entités qui sont sur Terre dans d'autres formes d'apprentissage? Il y a beaucoup d'allées et venues dont vous n'êtes pas nécessairement conscients, mais que vous observez occasionnellement. Il est plus simple d'identifier ce qui vous est propre que d'expliquer ce qui ne l'est pas. Vous avez deux guides qui vous aiment et qui sont toujours là pour vous.

Au cours du changement qui s'annonce, vous subirez un ajustement majeur : vous perdrez un de vos guides ou les deux (selon votre cheminement du moment), et *bénéficierez d'un autre*. Vous serez les seules entités sur Terre à profiter de trois *maîtres* guides (voilà le chiffre 3 qui revient une fois de plus). Ce sont des maîtres-guides, et ils vous aideront dans votre mission d'enseignement et de transmutation d'énergie pour la Terre. (Un maître-guide est un guide qui est toujours en service et jamais en leçon). En ce moment même où je transmets cette communication à mon partenaire via des pensées regroupées, les maîtres-guides se rassemblent et sont en route pour servir la Terre. Il y a une grande activité autour de votre système solaire. Si vous aviez voyagé dans l'espace autant que vous l'aviez souhaité, vous seriez très alarmés... et l'information obtenue ne vous aurait servi à rien à ce moment.

Le changement de guide accompagnera la venue du nouvel implant... Tout se fera en même temps. Si vous pensiez être sensibles... attendez de voir! Ceci a été décrit sur d'autres planètes comme la *noirceur*. Il y aura une période de temps d'environ 90 jours où vous serez sans direction. Vous aurez l'impression d'avoir perdu votre meilleur ami et votre enfant unique en même temps. Le départ des guides qui vous accompagnent depuis votre naissance sera profondément ressenti par la conscience de l'âme à l'intérieur de vous. Je vous ai parlé précédemment de cette conscience ou cette *présence de l'âme* en vous. Elle est la partie de vous-mêmes qui est totalement consciente des deux côtés du voile, mais elle ne peut participer directement à votre action terrestre à cause de vos implants. Elle est toujours là, et elle est cette partie de vous qui est éternelle. Elle me connaît et je la connais. Elle connaît très bien toutes vos expressions et c'est la partie de vous qui constitue votre spiritualité humaine. C'est également elle qui vous pousse constamment à rechercher Dieu. Elle n'est ni masculine ni féminine. Puisque vous n'avez pas de communication directe avec elle, vous ne saisissez pas ces sentiments et ils sont inexplicables.

Lorsque vos guides vous quitteront, la présence de l'âme en vous se retrouvera seule. Elle ne s'est jamais retrouvée sans guides; ils ont toujours été en contact constant avec elle. Si jamais vous *voyez* vos guides, soyez conscients que cela représente un moment de communication avec cette présence de l'âme. Ceci peut vous sembler incroyable (vos implants sont censés vous le faire voir ainsi)... mais il ne s'agit que de simples mécanismes de fonctionnement de votre école, comme les allées et venues d'enseignants, conversant les uns avec les autres. Croyez en ceci.

Il n'y a pas de sensation de vide aussi grande que lorsque les guides partent. Même si l'un d'eux demeure un certain temps, il y a une période où vous n'en avez plus. Ainsi, celui qui reste s'éloignera éventuellement pour une période d'ajustement. Ces guides représentent le seul contact avec la pure énergie d'amour qui existe pour votre âme. Lorsqu'ils partiront, vous souhaiterez mourir. La méditation ne vous apportera aucun soulagement. Vous n'arriverez plus à vous centrer et la prière semblera rebondir du ciel vers vous. Lorsque Jésus souffrait sur la croix (il n'était pas en train de mourir), on Lui a temporairement retiré ses trois serviteurs (oui, Il en avait Lui aussi). On voulait ainsi Lui permettre une *véritable mortalité* à ce moment (sinon Il aurait pu partir involontairement... la tentation aurait été trop grande). Si cela vous semble confus, encore une fois, sachez que, dans la vraie perspective d'amour, tout est bien ainsi. On lui est ainsi venu en aide mais, au moment où on Lui a retiré ses guides, Il s'est senti complètement seul pour la première fois depuis Sa naissance. Ce sera très déconcertant et très inconfortable pour vous également. Vous ferez pratiquement l'expérience de votre propre mort, en passant dans la noirceur, sans aucune lueur d'espoir.

Je vous ai dit qu'il y aurait des pièges à votre nouveau pouvoir; c'est l'un d'entre eux. C'est le feu précédant la paix. C'est temporaire cependant et vous *serez* capables de passer au travers. On ne vous permettra pas de partir pendant cette période et, même si vos guides vous ont quittés, quelques-unes des autres entités moins près de vous seront *dans les parages* pour vous surveiller. Elles ne sont pas des communicateurs cependant et vous n'aurez pas conscience de leur présence. Chacun de vous percevrez cela différemment. Si vous êtes bien préparés, vous saurez alors à quoi vous attendre et, ainsi, cela vous semblera plus doux. Si vous voulez un conseil qui vous aidera à passer à travers cette épreuve, dès que vous sentirez que cela approche (et vous le sentirez), occupez-vous à des tâches terre-à-terre... en vous concentrant sur un objectif de travail et à la réalisation de quelque chose qui vous fera plaisir. C'est une tactique de diversion pour votre âme et cela sera très efficace pendant la période d'ajustement.

Encore de l'aide... Je n'insisterai jamais assez sur l'importance de la foi à ce moment. Si vous acceptez ce changement et... que vous constatez que vous avez changé... que vous vous retrouverez seuls... sans amis ni partenaires... que vous n'avez plus de vocation... Qu'est-ce qui vous restera alors? La réponse est simple : il vous restera tout ce que vous **n'avez jamais eu!** *On prendra soin de vous!* Vous serez honorés. Les trois maîtres-guides, jumelés à toutes les entités invisibles autour de vous qui sont aussi ici pour vous supporter, seront à haut régime pour faire en sorte que vous soyez bien servis. Le *timing* demeurera toujours très important; il vous faudra faire preuve de patience, mais votre nouvel état vous permettra de le faire... et vous saurez attendre. La peur ne jouera plus le même rôle qu'auparavant, puisque vous aurez la possibilité de partir en tout temps si vous le désirez (d'où la tentation de le faire). Vous transporterez avec vous votre propre temple, ce qui signifie que vous vous suffirez entièrement à vous-mêmes... spirituellement, physiquement et mentalement. Vous n'aurez plus de problèmes à survivre, ni à rester en santé, et vous *ne serez plus* seuls. Vous ressentirez trop de joie pour vous sentir seuls. Vos nouveaux guides seront souvent visibles à vous avec suffisamment de clarté pour que vous puissiez vérifier leur présence, mais sans beaucoup plus. Si vous demeurez équilibrés, vous serez heureux et prospères... croyez-moi!

ET SI VOUS ÉCHOUEZ?

Ceux qui, dans l'univers, planifient de telles choses estiment que plusieurs parmi vous vont échouer, même après avoir reçu le pouvoir de la graduation. Ce n'est pas la première fois qu'une planète vit ce genre de vibration ou d'illumination; il y a donc un précédent dans la projection. Ceci signifie que plusieurs parmi vous vont en fait disparaître et quitter la planète après avoir reçu le pouvoir. Il y a deux raisons à cela : (1) Ils le désirent; c'est-à-dire qu'ils souhaitent quitter au lieu de rester pour aider. (2) Ils ne peuvent demeurer équilibrés à cause de problèmes d'ego ou d'autres tendances biologiques humaines. Cette dernière serait involontaire, c'est-à-dire que l'entité disparaîtrait simplement si elle devenait trop déséquilibrée.

Comme je l'ai mentionné précédemment, il n'y a pas d'attribut négatif à quitter la planète en état de graduation pour quelque raison que ce soit. Même si vous ne réussissez pas à rester et à aider, et que vous quittez involontairement, vous ne génèrerez aucun attribut négatif lors de votre passage. Votre état est absolu et sera célébré aussi dignement que si vous étiez restés. Ceci peut ne pas vous paraître tout à fait juste, mais, comme dans la parabole de l'enfant prodigue que racontait Jésus, le fils qui a quitté son père et fait toutes sortes d'extravagances a été honoré à son retour au même degré que le fils qui n'avait pas quitté... c'est ainsi avec la source unique d'amour. Jésus a beaucoup parlé de ce genre d'amour... Peut-être qu'avec votre nouveau pouvoir en ces temps nouveaux, saurez-vous jeter un regard neuf sur les enseignements de Jésus et les exemples qu'il a donnés. Une nouvelle compréhension et un nouveau savoir pourrait résulter d'un réexamen de la parole de ce maître que nous vous avons envoyé pour vous éclairer.

QUEL EST VOTRE CHEMIN MAINTENANT?

Plusieurs de ceux qui lisent ces lignes maintenant ne désireront pas emprunter ce nouveau chemin de pouvoir... réalisant que ce n'est pas encore pour eux le temps pour le faire. De grâce, ne vous sentez pas mal à l'aise si c'est ce que vous ressentez. Il est approprié de ressentir cela et c'est très sage de votre part de vouloir continuer *sans* ce nouvel état... sachant que vous en serez mieux ainsi. Vous pouvez cependant faire encore beaucoup pour soutenir ceux qui auront besoin de votre aide pendant cette période... alors que *tous* vous aidez la planète. Le discernement individuel est très important dans cette autoévaluation. Vous n'impressionnerez personne si vous décidez d'emprunter ce chemin... et vous ne décevrez personne si vous ne le faites pas. C'est une décision basée sur le discernement spirituel qui consiste à établir où vous en êtes dans votre propre cheminement à ce moment précis. Ceux d'entre vous qui se sentent prêts peuvent passer à la prochaine étape. Vous devez vous préparer mentalement à quitter votre condition actuelle, quelle qu'elle soit. Les choses changeront pour vous... et vous devez accepter qu'il en soit ainsi. Votre carrière sur la Terre, ou vocation, qui vous a permis de vous procurer l'argent nécessaire pour assurer votre gîte et votre couvert, sera peut être terminée ou altérée. Votre décision sera irréversible : vous ne pourrez plus changer d'avis.

Si vous êtes prêts et désirez opérer le changement, vous devrez alors le demander ouvertement en le verbalisant à l'univers. Plusieurs d'entre vous sont en contact si étroit avec ce côté du voile que cette communication sera claire et immédiate. Pour d'autres, toutefois, il faudra une verbalisation quotidienne afin que toutes les entités spirituelles en soient informées. Continuez ainsi pendant au moins un cycle de votre lune, afin de permettre une éventuelle correction de votre alignement magnétique pour transporter votre pensée avec clarté. (Certains d'entre vous sont conscients qu'il y a de meilleurs moments que d'autres pour communiquer). De cette façon, vous réclamerez le changement. Je vous ai donné le temps le plus court et le plus long que cela pourrait prendre pour communiquer votre désir de changer. Si vous n'êtes pas certains d'avoir été clairement entendus, optez alors pour une période entière.

La prochaine étape sera une évaluation instantanée de la justesse de votre requête. De grâce, sachez que *vous tous* avez le pouvoir de faire ce changement à cause de la nouvelle énergie dont vous profitez maintenant. Comme je l'ai mentionné, vous avez mérité ce droit. L'évaluation en provenance de ce côté du voile n'est pas un jugement mais une constatation de ce qui sera nécessaire à un ajustement karmique. Si une entité avec une expérience restreinte d'expressions (peu d'expressions passées et une grande quantité de karma à porter) réclame le nouveau pouvoir, il lui faudra une forme différente d'assistance pour mener à bien son changement.

Personne ne sera refusé mais le *timing* du changement et la difficulté du passage seront différents pour chacun. Un enseignant qui demande le changement peut l'obtenir immédiatement et avec très peu d'inconfort. Une entité qui a peu d'expérience au niveau de ses expressions pourrait devoir attendre plus longtemps avant que ne débute le procédé; par la suite, elle pourrait avoir beaucoup de difficulté à passer à travers l'épreuve. Comme je l'ai déjà mentionné toutefois, tous réussiront.

Le changement de l'alignement magnétique de la Terre que je m'apprête à faire pourrait retarder certains d'entre vous qui désirent faire le changement. Il se pourrait que 1992 ne soit pas approprié mais que 1995 le soit. Faites votre demande à tous les trois mois en sachant que vous recevrez au moment opportun.

Comment saurez-vous si vous avez commencé à le recevoir? D'abord, attendez-vous à des rêves très limpides, teintés de quelques sentiments de tristesse. Puis, viendra le début de ce que vous pourriez ressentir comme une dépression très profonde. Tel qu'établi précédemment, ceci correspondra au départ sans cérémonie de vos guides. Le reste se déroulera comme prévu et devrait durer environ 90 jours. Après cela, attendez-vous à ce que votre vie change. Ceux dont la route croisait votre ancien chemin karmique continueront sans vous sur leur chemin d'apprentissage. Vous n'interviendrez plus avec eux. L'univers les enlèvera de votre route afin que leurs leçons ne soient pas perturbées et que vous puissiez passer à ce que vous vous êtes engagés à faire.

COMMENT UTILISER LE POUVOIR...

Dans une communication à venir, je décrirai en détail les méthodes que vous pouvez utiliser pour transmuer le négatif en positif au profit de la planète. Lorsque vous recevrez ce nouveau statut, cependant, vous n'aurez aucun problème à savoir comment vous en servir. Pour l'instant, toutefois, je vais vous faire quelques recommandations.

Méfiez-vous de ceux qui voudront devenir adeptes! Jésus est venu sur Terre pour transmettre un puissant message à propos d'un nouvel âge de conscience spirituelle, où les humains pourraient enfin transporter partout toute la puissance éclairée de la présence de leur âme et pourraient enfin contenir la puissance de l'amour qui s'y trouve. Quel puissant message! Il ne voulait pas être vénéré... et voyez ce qui est arrivé. Le but ultime de son existence était d'enseigner aux gens l'amour universel et de leur donner la sagesse. En cours de route, cependant, plusieurs sont tombés à Ses pieds et L'ont adoré au lieu de recevoir ses paroles et de les mettre en pratique.

Comme je l'ai décrit en détail lors de précédentes communications avec mon partenaire, beaucoup des enseignements de Jésus ont été interprétés, réinterprétés, traduits et retravaillés pour faire de Jésus une divinité. Lorsqu'Il était avec vous, Il a établi clairement qu'aucun individu ne peut recevoir la nouvelle source d'amour à moins de faire sienne Sa nouvelle connaissance. Au lieu de cela, l'information transmise aujourd'hui est présentée comme un message dans lequel on nous enseigne à adorer Jésus pour atteindre *Dieu*. Ce n'était pas le but poursuivi et cela montre clairement comment l'esprit humain s'est appliqué à déformer la vérité pour lui faire dire ce qu'il attend d'elle ou ce qu'il veut entendre (ou ce qu'il désire enseigner aux autres afin de les manipuler). (Si vous voulez en savoir davantage sur l'opinion de Kryeon sur Jésus, lisez le chapitre six «Le Christ métaphysique»).

Renvoyez vos disciples! Ne laissez personne prendre votre place; c'est-à-dire ne laissez personne enseigner à votre place ou faire le travail pour vous. Vous avez besoin de votre nouveau pouvoir pour accomplir votre mission. Ne permettez à personne d'écrire vos mots, puis d'altérer leur signification. *Évitez les médias*. Rappelez-vous que, dans les médias d'information, votre message circule dans un seul sens. Ce n'est pas de la communication; or, dans votre nouvelle mission, vous devez relever le défi de la vraie communication (à deux sens). Votre travail porte davantage sur le *un à un*. Vous n'avez aucun message évangélique à faire circuler dans les foules. Guérissez la planète et guérissez vos confrères humains en groupes relativement petits. Soyez conscients... que dans les deux cas, il y a un *retour de communication* dans le processus. Le mécanisme de la guérison et de la transmutation demande un échange spirituel (voilà une autre révélation!) Ne dépendez pas de la visualisation transparente. (Je crois que Kryeon veut dire que les photos et la transparence des films ne peuvent permettre le visionnement de l'énergie spirituelle aussi bien qu'une rencontre en personne.) Bien peu d'humains ont le privilège de discerner les émanations spirituelles par une visualisation à distance. En outre, ne vous préoccupez pas du nombre de gens qui sont avec vous. Travaillez simplement, méthodiquement, pour quelques-uns ou pour plusieurs, avec diligence.

LES NOUVELLES VIBRATIONS

Enseignants : vous devez réaliser que vous allez peut-être voir des êtres gradués ou partiellement gradués (qui sont en transition) à partir de maintenant. Comment les *verrez-vous*? Quelle sera la couleur de leur expression, ou leur *pattern* aurique? Vous êtes habitués à des *patterns* qui ont été préétablis et stables. Même les mélanges et les anomalies ont été relativement stables... et, maintenant, il y a de nouvelles règles avec lesquelles il faut composer.

Voici quelques conseils à votre intention : Pour les utilisateurs de systèmes, n'essayez même pas de faire le travail à partir du moment où vous percevez que l'individu devant vous fait partie du groupe décrit plus haut. Vous le saurez, car aucune lecture ne sera fidèle. Dans les faits, vous ne devriez même pas avoir de raison de *lire* une personne qui a un statut de gradué. Une fois ce statut atteint, l'individu ne sera pas assez stupide pour demander une lecture de systèmes, car l'empreinte ne veut rien dire et il le sait. Les dates de naissance et les anciennes couleurs de vie sont maintenant neutres, et les forces biologiques cycliques ne s'appliquent plus. Vos systèmes lisent l'information des empreintes mais il n'y en aura plus à lire.

Ceux d'entre vous qui ne sont pas des utilisateurs

de systèmes percevront les nouveaux états de gradués comme un blanc rayonnant. Autant la couleur aurique que la couleur de l'expression seront soit d'un blanc transparent (sans couleur) ou neutre (se confondant avec le cosmos). Ceux d'entre vous qui ont une grande perception vont certainement remarquer l'énergie des trois maîtres-guides! Le pouvoir des *trois* sera ressenti comme une *action* à l'intérieur des limites atténuées de la sagesse à l'intérieur de l'individu humain. Il y aura un sentiment de paix émanant d'eux, une bienveillance, une compréhension universelle. Et... tel que mentionné, l'inhabituelle vibration d'amour qu'ils apporteront avec eux (à travers leurs nouveaux guides) attirera aussi des disciples comme un aimant.

Une autre situation à surveiller sera celle des êtres *nés dans ce nouvel âge* (tous les enfants nés après le 1/1/1992). Ces êtres auront un nouveau *pattern* d'empreinte qui leur permettra d'être à l'aise avec mon nouvel alignement. Ce *pattern* est différent de celui que vous avez observé auparavant; il sera très caractéristique. Cherchez pour de nouveaux *patterns* de rouge et brun rouge dans l'aura, et un nouveau bleu très foncé dans l'émanation de vie. Il y aura certains aspects négatifs des chartes qui ne s'appliqueront plus à ces nouveaux venus, surtout en ce qui concerne les mécanismes rétrogrades d'une certaine petite planète qui nécessitait généralement une surveillance par le passé.

C'EST POUR TOUT LE MONDE

Ce temps nouveau est puissant pour *tous ceux qui se trouvent sur le chemin de l'éveil*. Ces messages se sont concentrés sur ceux qui désiraient prendre avantage de tous les honneurs offerts; vous avez peut-être le sentiment que vous devez demeurer tels que vous êtes ou que vous n'étiez pas inclus dans le groupe. Il n'en est rien! Même si vous ne demandez pas le statut de gradué, certains de ces nouveaux pouvoirs vous seront accordés si vous en faites la demande.

Soyez conscients que le pouvoir agressif, plutôt que défensif, est *à votre portée dès maintenant* (fait référence au point 5 de la page 62). Demandez-le et utilisez-le! Projetez votre bulle de pouvoir partout où vous allez et regardez les gens se transformer autour de vous. Les anciennes énergies négatives sembleront rebondir contre votre nouvelle bulle au lieu de la pénétrer comme elles le faisaient auparavant. Vous recevrez ce que vous projetterez. (Cependant, si vous choisissez de ne pas croire en ce message, votre bulle sera inexistante et vous n'aurez rien appris en lisant ceci). Vous avez également un bien plus grand pouvoir de guérison qu'avant l'énergie de 1992, autant pour vous-mêmes que pour les autres.

Il est maintenant temps que je vous explique pourquoi vous pouvez être agressifs plutôt que sur la défensive. Jusqu'à maintenant, les énergies positives et négatives s'annulaient lorsqu'elles étaient combinées. C'est-à-dire qu'il n'y avait pas de partialité favorisant l'une ou l'autre. Jusqu'à maintenant, dans votre expression, vous étiez conscients des énergies négatives et, intuitivement, vous saviez que vous deviez vous débarrasser d'elles afin de maintenir votre équilibre... étant donné que chaque énergie négative annulait une énergie positive, pouvant ainsi contrarier votre sensibilité. L'équilibre entre le positif et le négatif n'est *dorénavant plus neutre*. Le nouveau pouvoir de la source unique d'amour qui est à votre portée a changé cela :

vous avez maintenant obtenu une situation où le positif gagne à chaque fois. Le négatif ne supplantera plus ni n'effacera le positif. Le positif ignorera plutôt le négatif, car il a maintenant un pouvoir qu'il n'avait pas auparavant. Tel que mentionné précédemment, vous vous êtes mérité ce pouvoir par votre dur labeur qui a augmenté la vibration de la planète à son niveau actuel. Avec ce nouveau pouvoir viennent les changements... et une fois de plus, c'est pourquoi je suis ici.

Certains d'entre vous recevront de nouveaux guides et d'autres de nouveaux implants même si vous ne vous êtes pas portés volontaires pour le *changement*. C'est une étape normale de votre croissance au cours de cette période. Si vous souffrez d'une dépression particulièrement profonde pendant une courte période de temps, sachez alors que vous avez changé de guides. Même si on ne vous a pas laissés seuls (comme c'est le cas pour ceux qui demandent un statut de gradué), le départ d'un guide est significatif pour votre âme *en n'importe quel temps*. Parce que vous n'êtes pas en contact avec la présence de votre âme, elle ne peut vous expliquer pourquoi elle est malheureuse mais vous en ressentez tout de même les effets. Vous ne pouvez pas non plus parler pour votre organe digestif, mais vous savez quand il a besoin d'être alimenté. Les deux situations sont similaires : l'une est spirituelle, l'autre physique.

LA NOUVELLE ATTITUDE

Mes dernières paroles à votre intention traiteront une fois de plus de votre réaction à la nouvelle énergie et élaboreront davantage sur ce que cela signifie pour vous tous. Au cours de mon séjour ici, mon message sera toujours le même et vous le retrouverez souvent si vous suivez ces écrits. Le message ne traite pas nécessairement de mon service puisque, heureusement, je n'ai pas à tenter d'expliquer les mécanismes de mon travail. La seule raison qui m'a poussé à déranger la vie de mon partenaire en ce moment est de vous informer sur **vous-mêmes.**

Plusieurs d'entre vous sont présentement inquiets. Certains réagissent au changement simplement parce qu'il s'agit de changement. Une partie de votre implant humain vous fait craindre le changement et souhaiter la stabilité. Lorsque vous regardez le ciel, vous voyez l'uniformité et la constance. Vous observez une apparence de stabilité et de fiabilité dans ce que vous pouvez voir et mesurer dans le temps. Ce n'est pas du tout le cas puisque l'univers est constamment en transition. Vous pourriez voir cela si vous pouviez avoir une vision d'ensemble. Le changement est en fait l'état souhaité mais il est difficile pour vous d'aller contre le sentiment de vos implants.

Je vous en prie, croyez en *la justesse de ces changements.* Encore une fois, tout n'est pas comme cela semble être. Ayez confiance : mes ajustements sont appropriés pour vous. Relaxez et soyez en paix avec la Terre pendant cette période.

Avec la nouvelle énergie arrive une image beaucoup plus claire de la façon dont les choses fonctionnent. On peut comparer cela au voile qui se soulève légèrement pour que vous puissiez voir plus clair qu'auparavant. Alors que les communications du passé étaient souvent énigmatiques ou présentées sous forme de récit nécessitant votre interprétation... elles sont maintenant plus directes. Alors qu'avant les messages pouvaient être incorrectement interprétés à cause de leur caractère opaque, ils seront désormais clairs. J'espère que vous pourrez le constater en lisant ces messages. Je suis le premier d'une série de communicateurs qui s'adresseront à vous en termes beaucoup plus simples et directs.

Certains d'entre vous ont peut-être remarqué que, pour la première fois, vous pouvez percevoir ou *ressentir* une émotion émanant de mon côté. Mes communications devraient déjà éveiller des sentiments en vous que vous n'avez peut-être jamais ressentis à propos de nous qui sommes de l'autre côté du voile. C'est nouveau. Par le passé, l'univers vous parlait d'amour mais semblait indifférent ou déconnecté de ce sentiment. Le temps est venu maintenant pour vous de passer à travers le voile et de ressentir ce dont je parle. C'est une première qui devrait vous faire comprendre mieux à quel point nous vous aimons.

Tous, sans exception, savaient que Jésus le messager les aimait. C'est ce qui l'a différencié, Lui, des autres maîtres dans l'histoire. Cet amour a toujours existé mais il est maintenant prêt à se révéler à vous comme un pouvoir que vous pourrez utiliser en ce temps de changements. Imaginez la noirceur de l'espace comme étant de l'amour pur et inconditionnel... l'amour d'un parent ou d'un partenaire attentionné. Lorsque Jésus est venu de votre côté, Il était rempli de ce pouvoir et vous le saviez. C'est le même amour divin et tout-puissant qui maintenant coule librement entre vous et moi, et entre toutes les entités de mon côté vers votre côté. C'est la nouvelle disposition très spéciale que vous avez méritée. À elle seule, cette innovation devrait vous procurer la paix et la consolation, même dans l'anxiété que vous ressentez à propos des changements à venir.

Lorsque vous vous retirerez ce soir, je vous

propose cet exercice. Je vous assure que vous obtiendrez des bons résultats si vous êtes sincères, car c'est la vérité... et elle se manifestera à vous pour cette raison. Vous allez ressentir un peu de cette nouvelle énergie d'amour dont je parle si souvent. S'il vous plaît faites ceci :

L'exercice: Les yeux fermés, imaginez-vous debout sur une colline face à la mer. Il n'y a aucun bruit sauf celui des vagues ou du vent. Restez là jusqu'à ce que vous ayez vidé votre esprit de tout ce qui se rapporte au terrestre. Si des sons ou de la musique peuvent vous aider, chantez pour vous-mêmes mentalement pour vous procurer des pensées de paix. Imaginez le voile qui s'approche lentement de vous; il s'arrête à environ un mètre devant vous. Si vous n'y arrivez pas, demandez de l'aide et l'image viendra. Elle doit venir lorsqu'on la réclame. Maintenant, étendez les mains comme pour souhaiter la bienvenue à vos guides de l'autre côté du voile. Vous pouvez actuellement le faire, ou seulement en imagination, mais gardez les mains et les bras étendus et attendez. Au bout de quelques instants, vous sentirez une chaleur se répandre dans vos mains ou un léger picotement. C'est qu'en vérité vos mains seront tenues par quelqu'un d'autre! Vous serez en outre envahis d'un sentiment qui vous fera pleurer. Ce sera une sensation de joie et de paix. L'univers est vraiment là et il se préoccupe de vous. Vous serez effectivement en train de franchir le voile et vous pourrez *toucher* à vos guides. Ils sont les entités de service le plus près de vous et ils vous aiment tendrement. Ils sont là en *service d'amour* et seront très réceptifs et heureux de communiquer avec *l'autre aspect de vous* pour la première fois. Imaginez ce qu'ils ressentent - que vous les respectiez au point de vouloir les atteindre - car pour eux vous êtes *l'esprit supérieur*... et ils sont là pour vous servir.

Faites une pause et laissez-vous bercer par ce sentiment de joie et de paix en laissant reposer vos mains entre les leurs car, par cette visualisation, vous créez effectivement une *énergie de pensée* qui permet à cette nouvelle communication d'être. Les pensées sont des énergies réelles et ce dont vous ferez l'expérience sera aussi réel, et non une simple invention de l'esprit. Lorsque vous serez dans cet état de joie, toute crainte s'évanouira à propos de quoi que ce soit de terrestre. Vous recevrez un *bain d'amour* qui vous procurera paix et sagesse en prévision des événements auxquels vous devrez faire face pendant votre expression. Vous sentirez peut-être même que vous commencez à vous élever au-dessus du sol. Limitez ce contact à *trois minutes* environ. Au-delà de ce temps, l'expérience fatiguerait votre âme et cela se traduirait par une tension mentale le jour suivant. Croyez-moi, vous garderez ce contact en mémoire pendant des heures. Son rayonnement demeurera avec vous. Ne faites pas ceci plus d'*une fois par jour*. Ce n'est pas un exercice mental dans le but d'obtenir un sentiment positif. Ces moments seront aussi réels que les autres de votre journée.

Si je pouvais sortir de cette page et vous apparaître en ce moment, la première chose que je souhaiterais faire serait de vous honorer d'une certaine manière, et, pour un humain biologique, ce serait de vous étreindre. (Si en fait j'apparais à certains, je me retiendrai moi-même par sagesse par crainte de vous occasionner un malaise, ce qui serait le cas.) Vous êtes tous tendrement aimés sans aucune mesure. Mon service envers vous, en tant que Kryeon, est d'abord de vous

aimer et ensuite de vous servir à travers ma connaissance magnétique. La priorité de chaque entité de
l'univers se rapporte toujours à la source unique
d'énergie d'amour. Les messages contenus ici ne sont
pas des théories stériles conçues par l'univers pour vous
dire quoi faire pour sauver la Terre. Ils sont formulés
par votre famille spirituelle pour améliorer votre
expression sur la Terre et pour vous aider à célébrer
votre pouvoir nouvellement acquis. La formule *Père dans
le ciel* ne relève pas du hasard, mais elle est issue du
sentiment que vous faites partie de la même famille que
nous de ce côté du voile. Nous ne sommes pas indif-
férents à votre travail. Jusqu'à maintenant, cependant, il
nous était très difficile, voire impossible, de vous le faire
savoir.

Je suis Kryeon de service magnétique. Pensez à
moi lorsque vous êtes dans le doute ou dans la crainte.
Vos pensées peuvent être transformées en paix et, en
pensant à moi, vous pouvez en fait activer vos guides
dans le service. C'est ainsi que fonctionne le système de
la pensée. La prière est à peu près du même ordre. Les
mécanismes de ceci sont très complexes; ils contiennent
des éléments que vous ne pouvez absorber présentement
à cause de la configuration appropriée de vos implants.
Faites-moi confiance et sachez que vos pensées sont
actives et qu'elles peuvent changer des choses. Vous
vous demandez peut-être comment une entité pourrait
entendre les pensées d'une multitude d'humains en
même temps. Pouvez-vous entendre plus d'un son à la
fois ou devez-vous leur demander d'attendre en file? Y
a-t-il une limite au nombre d'instruments que vous
pouvez entendre en même temps? C'est très semblable
à cela. Rappelez-vous en outre que pour chacun d'entre
vous, il y a *au moins* deux autres entités qui ne sont là

que pour attendre vos pensées et vos verbalisations!
La nouvelle source d'amour est le grand *Je suis*...
le soleil à l'intérieur du soleil et le centre de toute
puissance. Elle est unique et elle nous appartient à tous.
J'honore mon partenaire pour la clarté de cette
traduction et pour ne pas avoir hésité à écrire les
images-pensées au moment où elles étaient reçues... car
certaines sont difficiles, en ce sens qu'elles pourraient
éventuellement lui attirer le ridicule des enseignants
comme des non-enseignants.

* * *

Vous avez lu la vérité aujourd'hui. Un jour, elle
brillera à tel point que vous demanderez comment il
se fait que vous ayez jamais douter d'elle. Je suis
Kryeon de service magnétique. Vous êtes tous aimés!

Kryeon

Janvier 1992

Vous connaîtrez la joie et la paix
dans l'avenir lorsque vous aurez appris à maîtriser
le nouveau pouvoir qui est entièrement vôtre.

Vous n'aurez aucune idée
de ce que vous pouvez obtenir
avant de l'avoir véritablement expérimenté.

... après cela vous vous demanderez
comment vous avez pu passer autant de temps
et dépenser autant d'énergie dans la noirceur...

Nous vous aimons.

TROIS

La Première Transmission en Direct

CONFIDENCES DE L'AUTEUR...

Californie du Sud, le 3 mars 1992, 7h P.M. Quatorze disciples du Nouvel âge sont assis devant moi. Ces gens ont été invités par Kryeon pour assister à la première expérience d'une transmission en direct par channelling. Dans le texte qui suit, vous découvrirez comment tout cela est arrivé et vous prendrez connaissance de la transcription du message reçu.

Avant de poursuivre, il est important que je m'assure que vous avez lu les chapitres précédents. La chronologie dans l'enseignement de Kryeon est importante. Il se base sur notre mesure linéaire terrestre pour développer sa logique d'apprentissage. Kryeon sait comment nous pensons et il a structuré son information et ses enseignements d'une façon linéaire... en plaçant un pied devant l'autre... Vous devez donc être conscients de la nécessité de lire les informations dans l'ordre où elles vous sont transmises. Je poursuis maintenant mon récit...

Noël 1991 était vraiment sur le point d'apporter la nouvelle énergie sur la Terre. À cette époque, je croyais avoir terminé l'écriture de l'enseignement de

Kryeon. Comme vous le savez maintenant (si vous avez lu ce qui précède), je découvris que ce n'était que le début. Un jour, alors que je prenais ma douche, je reçus clairement le message que je devais tenter une transmission en direct par channelling... J'étais sidéré. Ceux qui me connaissent savent à quel point je dépends d'une bonne préparation dans tout ce que j'entreprends. Je me lève tôt simplement pour m'assurer que mon réveille-matin est bien remonté. Je prends des notes sur tout, en deux ou trois exemplaires, et je les place dans différentes poches pour être certain de les retrouver le moment venu.

Me mettre dans une situation où je me retrouve sans notes ni ordre du jour, c'est comme me parachuter dans un mauvais rêve... dans un lieu où je parle lentement sans rien dire, où mes pieds franchissent un mille à la minute en direction de nulle part... C'est comme si je me retrouvais en sous-vêtements dans un stade rempli de gens qui me regardent pendant que j'essaie de m'enfuir.

L'enseignement de Kryeon est toutefois beaucoup plus important que mon ego. En fait, l'importance de ma vie elle-même pâlit devant l'énormité du message devant lequel je me trouve. Je sais que plusieurs personnes reçoivent présentement cette information et que je ne suis guère le seul messager. Cependant, je sais aussi que je suis ici pour accomplir une tâche parce que Kryeon m'a clairement indiqué que cela était approprié. C'est le moyen qu'il utilise pour me faire comprendre que cela est juste, adéquat, opportun et que... de toute façon... j'ai accepté de le faire... je dois m'en rappeler! Kryeon veut toujours que je me rappelle (comme si j'avais toutes ces communications d'un milliard d'années avec le maître à la portée de mon cerveau. Entre vous et moi, j'ai de la difficulté à me rappeler ce que j'ai mangé pour dîner jeudi dernier).

D'accord... j'accepte (ai-je dit à Kryeon dans ma douche). J'organiserai une séance de channelling en direct. Je me présenterai devant plusieurs personnes et je verrai ce qui se passera. Si cela en vaut la peine, je transcrirai peut-être même le message reçu. On pourrait commencer par inviter ma femme et deux de mes bons amis, mes chats et mon oiseau, qu'en pensez-vous? On pourrait peut-être aussi servir quelques verres de vin (pas aux animaux) avant de passer à l'action, et s'amuser un peu... (réalisez-vous à quel point j'étais nerveux?).

Mais, pas de chance. Kryeon voulait que je m'inscrive directement aux Olympiques métaphysiques!... Je dois trouver les plus grands professionnels de la métaphysique de la ville... des gens que je ne connais pas... et recevoir le message en channelling pour eux! (C'est ce que Kryeon m'a révélé sous la douche). Je ne peux pas le croire. Je les vois tenant une carte de pointage à la main pour évaluer ma performance... et je m'en tire avec un score moyen de 1,3 sur une échelle de 9 (certains me cote même en-dessous de zéro). Kryeon aurait pu aussi bien me demander de construire une arche... ou d'aller voir le Pharaon pour «laisser partir mon peuple». Je savais que cela n'allait pas bien cadrer avec ma leçon de vie (ne laisser personne ni aucun événement décider de ce que je serais).

Alors, je me suis mis à réfléchir... Qu'est-ce qui pourrait m'arriver de pire? Des adultes qui ricanent pendant que je tâtonne et bégaie des mots transmis par un maître magnétique qui vient du monde de l'esprit et qui me parle presque à chaque heure du jour... sauf à ce moment précis? Qu'arrivera-t-il si je suis trop nerveux pour transmettre adéquatement le message et si je leur dis que des météorites tomberont en avril à moins qu'ils ne fument des épingles à linge? Bon... je ne peux pas m'acquitter de cette tâche... et je ne prendrai plus de douches non plus.

Alors, Kryeon me dit (pendant que j'étais au volant de ma voiture) : *Je vais le faire pour toi... donne-leur seulement les textes et attends.* Dans la seconde partie du mois de février, je suis donc allé voir mon amie Barbra en qui j'ai une grande confiance (et qui, de plus, est un professeur de métaphysique de très grand calibre). Elle me reçut entre deux rendez-vous et je lui racontai timidement mon histoire. Elle accepta le défi - sans poser de questions. Je rassemblai donc des copies des communications de Kryeon, en quatorze exemplaires, je les remis à Barbra et j'attendis d'être appelé par le groupe s'il souhaitait en entendre davantage. Inutile de préciser que les textes ont été bien reçus. Le groupe souhaita me rencontrer le 3 mars à 7h P.M.

J'ai beaucoup évolué au cours des deux semaines qui ont précédé cette séance de channelling. J'ai réalisé qu'il fallait que je fasse appel à un implant pour m'aider à m'équilibrer... ce que je fis. Je sentis également qu'il fallait que je sois en paix avec moi-même et heureux de tenter cette expérience et que je laisse les choses aller tout simplement. J'ai réalisé que si je pouvais relâcher toute ma crainte et mon anxiété par rapport à quelque chose comme cela... je pourrais en faire autant avec n'importe quoi dans ma vie, quelle qu'en soit la difficulté. Puis, je réalisai ce qui se passait en fait : Kryeon avait créé sur mesure pour moi une *marche sur le feu* et, lorsqu'elle serait faite, tout le monde en sortirait gagnant. Si les membres du groupe étaient vraiment ce qu'ils étaient censés être, ils reconnaîtraient alors l'entité pour ce qu'elle était. Ils apprécieraient le moment passé en ma compagnie et célébreraient (s'il y a lieu) l'information reçue. Ils ne me jugeraient pas du tout mais, au contraire, ils se serviraient de leur expérience pour m'aider dans le futur. Comme tout est évident maintenant!

Je suis donc assis devant quatorze métaphysiciens incluant le professeur Barbra et son mari, le professeur Michael. Parmi les douze autres participants se trouvent de nombreux métaphysiciens à temps plein (qui gagnent leur vie à faire ce travail), dont des numérologues et des spécialistes des questions psychiques. D'autres sont des professionnels qui travaillent aussi dans le domaine métaphysique et il se trouve dans le groupe au moins un ou deux individus spécialisés dans les sessions de transe-médiumnité. À ma droite, est assise mon épouse, Jan. Elle m'est indispensable : elle est mon ancre. Je suis étrangement calme. Le moment est venu. Un peu de nervosité se manifeste brièvement dans le tremblement de ma voix puis Kryeon prend la relève. J'ai l'impression d'accomplir une mission familière... je n'ai qu'à traduire les pensées au fur et à mesure qu'elles arrivent, en tentant de garder le rythme, bien conscient cependant des énergies additionnelles qui se trouvent devant moi.

Ce qui suit est la transcription exacte des pensées et des mots comme ils me sont venus. J'ai en outre demandé à Kryeon de me les transmettre dans un style littéraire... presque comme un channelling par-dessus un channelling. Cela sera utile car (1) je sais que, au cours d'une séance de channelling en direct, certaines explications sont laissées de côté. Je suppose que cela est dû au fait que certaines informations sont absorbées par ceux qui y assistent à travers des communications avec leur soi supérieur. Lorsque transcrites sur papier d'une façon littérale, il semble manquer certains éléments qui pourraient aider à la compréhension... et (2) il s'agissait de ma première expérience de channelling de l'énergie de Kryeon et, malgré ce qu'on pouvait en dire, j'étais nerveux... et cela pouvait avoir un effet sur ce qui allait être laissé de côté. Pour bien préciser ce qui se passait, j'ai demandé à Kryeon de *remplir les espaces vides* lorsque nécessaire. Ces informations seront transcrites entre parenthèses et dans un caractère différent. Rien n'a été laissé de côté. Grand merci à Kryeon qui a su mettre en valeur ma première expérience.

> Maintenant... imaginez-vous que vous êtes dans la pièce avec nous pendant que vous poursuivez votre lecture...

Le premier channelling en direct

Je suis Kryeon, de service magnétique. Vous êtes tous tendrement aimés... Il y a 38 entités présentes ici dont certaines sont de mon service. Je vais prendre trois minutes pour amener cette pièce à la vibration d'amour que je souhaite projeter sur vous.

Nous enlevons présentement les *flotteurs*. Je vais vous expliquer ce que sont les *flotteurs* dans un moment...

Chacun de vous est tellement aimé... (car je reconnais en vous la foi d'être à la bonne place au bon moment et je célèbre votre bonne volonté à participer à une fenêtre d'opportunité pour mon partenaire).

Merci à mon partenaire de donner crédibilité aux *neuf*... et, alors que l'énergie est rehaussée (mon énergie prend la place de l'énergie existante), il est important que vous compreniez la vibration du *neuf*... plusieurs d'entre vous l'ont déjà fait... car elle représente l'achèvement (la fin et la conclusion - la boucle des événements)... et elle représente notre temps maintenant. Je suis certain que les mathématiciens de la Terre, ou certains d'entre vous, n'ont pas manqué d'observer que le chiffre neuf est le dernier... le plus élevé des chiffres simples. Il est opportun de savoir que le neuf, multiplié par n'importe quel autre nombre dans l'univers, donne une réponse totalisant un neuf. Une fois de plus, il n'y a pas de chiffre plus élevé qui marque l'achèvement. Ce n'est pas non plus par hasard qu'à l'endroit où les méridiens se rencontrent et que l'entrecroisement prend place au Nord et au Sud... les hommes ont établi, il y a longtemps, que l'angle était de 90 degrés au nord et de 90 degrés au sud (les deux sont une vibration du neuf... car ils sont les pôles de la Terre où mon partenaire et moi, plus deux d'entre vous, ont aidé à ancrer l'entre-croisement... là où les réseaux du vortex magnétique deviennent une fonction groupée aux deux pôles et où les humains ne devraient, logiquement, jamais même tenter de vivre.).

... et finalement pour votre information... ce n'est pas par hasard que nous sommes réunis le 3-3-1992 (parce que c'est un jour neuf et qu'il a été choisi par votre groupe... et non par Kryeon).

Les *flotteurs* dans la pièce sont partis. Il y a trois équilibres (d'importance pour la planète). Il y a l'équilibre des entités sur la Terre, l'équilibre des vibrations et l'équilibre des forces magnétiques. Les entités ont toujours été dans un même équilibre (c'est-à-dire que le *poids* des entités spirituelles sur la Terre est toujours demeuré constant. Ne confondez pas ceci avec la vibration des entités. Vous n'avez pas de mot ni de concept approprié pour désigner cet équilibre). Ce qui s'est produit à travers les âges c'est que les *flotteurs*, les entités neutres, ont été les gardes-places. Au fur et à mesure que les entités en leçons s'incarnent sur la Terre, les *flotteurs* sont déplacés... et ils partent. Vous les voyez (les flotteurs) depuis des années : esprits errants, certains gnomes et petites gens... sont des flotteurs. (Ils sont neutres et ne peuvent vous faire de tort. Ils ne font que garder une place dans l'équation spirituelle qui assure un équilibre à la planète afin de maintenir un poids spirituel constant. Ils sont aussi en leçons à leur façon... et leur interaction avec vous sera minime et non significative pour votre leçon. Plusieurs sont visibles aux hommes éclairés mais ils peuvent être un casse-tête pour un grand nombre. Leur vibration est tellement bénigne cependant qu'ils ne sont presque jamais craints.) *

Il n'y a pas d'entités inappropriées ici maintenant. Il y a par contre certains guides très excités... parce que je suis Kryeon. De grâce, ne fermez pas vos cœurs en ce moment. Mon message n'est pas ce que mon partenaire a dit qu'il serait... car je ne suis pas ici pour la validation. Combien d'entre vous, lorsqu'ils entrent dans une pièce remplie d'êtres qui leur sont chers, passeront du temps à prouver qui ils sont?   Je suis Kryeon et je

---

* Un récent commentaire de l'auteur au sujet des esprits de la nature est particulièrement intéressant. La transformation actuelle s'adresse à tous les règnes qui vivent sur Terre. Une partie importante du *focus* ou de la responsabilité des esprits de la nature est en train d'être transférée aux humains qui actualiseront, vivront vraiment leur rôle de Gardiens de la Terre. En même temps que ceci s'accomplit, il y a aussi d'autres types d'êtres focalisant des énergies d'une ampleur inégalée pour la beauté de la nature, de la Terre dans son ensemble, qui arrivent pour participer au prochain cycle de l'humanité NdÉ.

vous connais... et vous me connaissez. Je suis celui que vous attendiez et je vous apporte de merveilleuses nouvelles... une énergie incroyable... l'amour et l'abondance. Présentement, sur Terre, il y a huit autres entités qui channellent Kryeon. Il y en a de plus beaucoup, beaucoup d'autres qui viendront avec le même message (le message du pouvoir que vous avez maintenant à cause du changement que je crée). Mais plus spécifiquement, il y a huit entités (qui représentent la vibration de Kryeon). Elles se trouvent dans les endroits suivants: au Mexique, en Inde, en Afrique, en Russie, en Israël, en Amérique du Sud, en Chine et en Syrie. De façon plus précise, vous les retrouvez dans la capitale du Mexique, dans la nouvelle cité de l'Inde, sur la côte de l'Afrique... à 34 degrés de parallèle sud et à 18 degrés de méridien est. En Russie, à Moscou... très puissante. En Israël, elle se trouve dans l'ancienne cité. En Amérique du Sud, c'est à 12 degrés de parallèle sud et à 77 degrés de méridien ouest. En Chine et en Syrie - je ne vous dévoilerai pas leur localisation.

Je suis venu devant vous ce soir pour vous transmettre une nouvelle, un avertissement, quelques informations... et l'amour. (La nouvelle est) **Le voile se soulève légèrement.** (Ceci est le changement le plus significatif enregistré au cours des deux derniers millénaires sur la Terre... et vous ne faites que commencer à découvrir ce que cela signifie.) J'ai demandé à mon partenaire d'écrire cela et il a fidèlement reproduit l'information. Le léger soulèvement du voile apportera de grandes révélations...

Avant de poursuivre sur ce sujet, ceux d'entre vous qui jouissent d'une perception et d'une vision élargies reconnaîtront ma validation, même si vous pouvez en douter présentement... car vous verrez l'aura de mon partenaire se changer vers le blanc. C'est l'influence de l'empreinte neutre et de l'implant neutre pendant que je channelle à travers lui. (Cette manifestation n'est que temporaire mais elle se produit lorsque que je suis présent à ce niveau afin de donner à mon partenaire le pouvoir nécessaire pour traduire l'énergie de la pensée telle qu'elle arrive. Vous pouvez l'observer pour mesurer ma présence à chaque fois que vous verrez mon partenaire.) La couleur actuelle de l'entité Kryeon est un ton de cuivre foncé, iridescent. Cette couleur peut également se superposer sur le blanc (voyez-la entourer l'aura) lorsque je suis présent.

Pendant que le voile se lève, vous profiterez d'un très grand pouvoir, comme vous l'avez lu précédemment... ce qui vous permettra d'aller au-delà de vos empreintes karmiques... et de devenir puissants. La Terre a besoin de vous maintenant!... afin de permettre la transmutation de l'énergie (du négatif au positif... ce qui élèvera la planète à sa vibration finale et permettra son couronnement au moment où le voile se soulèvera complètement... Je m'adresse maintenant particulièrement aux quatorze d'entre vous... car vous comptez parmi les nombreux êtres éclairés qui prendront la tête de ce mouvement.)

La vibration est l'une des deux autres équilibres de la planète dont je vous ai parlé. La vibration de la planète doit être rehaussée. Vous devez être félicités pour ce qu'elle est maintenant (elle est selon les prévisions et supérieure à ce qu'elle était au moment de mon arrivée). Mais elle doit être encore beaucoup plus grande. L'équilibre demeurera le même, même si la vibration s'accentue. Tout comme quand la glace se change en eau, puis en vapeur.... la matière demeure la même bien que la vibration augmente. (Le taux de vibration de quoi que ce soit, dans le domaine spirituel tout comme dans le domaine physique, ne change pas le poids... seulement la consommation d'énergie. Afin de changer la vibration de la Terre, vous consommerez beaucoup plus d'énergie spirituelle... que vous pouvez maintenant recevoir directement de la source unique d'amour. Voilà le secret de sa présence ici! Pendant que l'énergie est consommée, la négativité devient un produit inutile en quelque sorte et s'en va à jamais).

L'avertissement (dont je vous ai parlé précédemment) est le suivant : pendant que le voile se soulèvera, plusieurs d'entre vous (sur Terre) recevront de l'information. De grâce, faites preuve de *discernement collectif* pour dissocier le vrai du faux. Voici un exemple: si quelqu'un d'une autre partie de l'univers venait sur Terre pour y passer cinq minutes... la nuit... et qu'il pénétrait dans une bibliothèque avec seulement une petit lampe. Supposez que ces gens ne parlent pas votre langue mais qu'ils peuvent regarder les images. Ils regardent donc les livres et quittent les lieux... et ils retournent chez eux pour rendre compte de leur visite à leurs chefs. Qu'auraient-ils vu? (qui pourrait les amener à tirer des conclusions sur votre planète). Auraient-ils rassemblé des images de vos écrivains de science fiction? Auraient-ils rassemblé des images de votre histoire? Auraient-ils consulté des livres qui contenaient des illustrations qui n'avaient aucune signification... ou peut-être des livres d'art... ou encore un almanach du sport! Comment pourraient-ils décrire la Terre à leur peuple? (pouvez-vous imaginer leurs conclusions?)

C'est à peu près la même chose qui se passe (présentement pour vous en comparaison avec l'autre côté) pendant que le voile se soulève. Vous verrez des images très impressionnantes de ce que les choses pourraient être mais peut-être aussi de ce qu'elles ne sont pas.

Vous devez faire preuve de *discernement collectif* pour connaître la vérité... ce que sont réellement les choses. (Ne vous accrochez pas à tous les concepts qui vous seront présentés. Il pourrait y avoir beaucoup de confusion maintenant en raison principalement de la différence dans les structures du temps dans les deux côtés du voile. Essayez de vous rappeler que notre «maintenant» est votre passé, présent et futur... tout comme dans l'exemple de la bibliothèque. Vous pourriez facilement voir des énergies de pensées projetées qui ne seraient que spéculations de ce qui sera. Vous êtes déjà conscients que, en tant qu'humains, vous créez des énergies de pensées à propos de votre futur pour tenter effectivement de le créer! Il y a beaucoup de travail à accomplir aussi de ce côté du voile en fonction de votre futur et, à cette fin, nous nous préparons à fond pour tous les scénarios... en utilisant l'énergie de la pensée. Cette énergie vous parviendra avec beaucoup plus de clarté qu'auparavant. Il est cependant possible que ce que vous «captiez» ne soit rien d'autre qu'un schéma de planification. Et rappelez-vous - aucune entité dans l'univers ne sait comment vous agirez au cours des prochaines années! Si vous recevez des images vraisemblables des événements futurs... évaluez-les par rapport à ce que vous savez déjà des nouvelles énergies. Restez dans la vibration de l'amour, et réunissez-vous pour décider, car vous êtes plus puissants et meilleurs juges en groupe.)

La vibration d'amour dans cette pièce commence à s'élever encore davantage alors que certains d'entre vous réalisent (que mon véritable message se trouve dans la vibration d'Amour. L'information est secondaire et vous est transmise en cours de route. La vraie nouvelle est le pouvoir de la nouvelle énergie... et je veux que vous le ressentiez.) Car vous êtes tellement aimés! Vos guides sont ici pour vous servir... sans jugements, et ils vous aiment tendrement. (Vos guides sont ceux avec qui je communique réellement en direct car ils sont directement branchés sur l'astral. Je les vois qui vous accompagnent à chaque fois que je vous vois. Je ne vous perçois jamais sans eux.)

Une autre information... importante pour vous : **Célébrez la progression du temps!**... car vous vivez dans un contexte de temps linéaire mais pas nous... qui sommes de l'autre côté du voile. Plusieurs d'entre vous comprennent en ce moment ce à quoi je fais allusion, car dans cette nouvelle énergie, le pouvoir vous sera attribué, vous trouverez l'abondance et vous trouverez la paix que vous désirez. (Dans un contexte de temps linéaire, un événement doit venir avant un autre pour créer une fenêtre d'opportunité... comme un train qui roule le long d'une voie ferrée s'arrête à chaque gare pour recueillir les joueurs et les pièces du casse-tête. Lorsque celui-ci est complété, la fenêtre d'opportunité peut prendre place.) Vous devez cependant attendre à la gare où passe la voie ferrée car le train doit s'arrêter pour cueillir d'autres éléments sur sa route avant d'arriver jusqu'à vous. Dans votre temps linéaire, c'est ainsi que se déroulent les choses. (Ceci s'adresse à ceux d'entre vous qui sont impatients de connaître leur fenêtre d'opportunité. Plus particulièrement à ceux d'entre vous qui sont éclairés. Vous ressentez réellement ce concept de «vivre dans l'ici-maintenant» mais sans en faire encore l'expérience. Vous êtes impatients de rassembler les éléments nécessaires pour créer ce qui a été prédit ou promis dans votre vie. Par conséquent, ceci est une incitation d'amour à la patience!) Les joueurs doivent d'abord être recueillis par le train et les choses, les entités, les objets assemblés... et, lorsque tout sera en place, le train viendra à vous. C'est alors que vous monterez à bord (et pas avant! Je sais que vous avez tenté de créer vos propres fenêtres d'opportunité. Ceci n'est pas seulement inapproprié... c'est dangereux car, ce faisant, vous pourriez éventuellement manquer la véritable fenêtre!) Vous avez votre billet entre les mains... une promesse. La voie ferrée est devant vous. Pourquoi en douteriez-vous? (pourquoi douteriez-vous que la fenêtre viendra à vous alors que l'Univers vous a offert un billet pour le train, et que vous avez déjà attendu par le passé et que vous êtes montés à bord)... car le train vient! Il n'y a aucun doute là-dessus!

Certains ne peuvent même pas voir la voie ferrée et ils s'inquiètent. (Vous êtes différents cependant car vous comprenez la promesse de l'Univers. Vous avez beaucoup à remercier en cela car plusieurs sont complètement aveugles et ne peuvent voir comment fonctionnent les choses; ils ne savent même pas que la fenêtre s'en vient. Rappelez-vous de ceci : quand vous êtes équilibrés, tout contribue au bien de l'ensemble... l'ensemble du corps, du coeur et de l'esprit. L'abondance coule, la santé est bonne et la paix est avec vous. Vous devriez vous sentir comme un enfant qui, avec ses plus beaux vêtements, attend le train à la gare avec ses parents pour un voyage vers une merveilleuse destination. Vous êtes entouré par ceux qui vous aiment... vous êtes riche aux yeux de tous... vous êtes jeune... et vous êtes excité par l'aventure. Cette analogie est parfaite pour ceux qui sont présentement éclairés. Si, en tout point, elle ne correspond pas à ce que vous êtes, vous devez alors vérifier votre équilibre et faire appel à l'énergie d'amour pour guérir.) Célébrez la progression du temps, car chaque chose doit être en place (pour que votre fenêtre puisse arriver).

Mon partenaire me demande actuellement de ne pas transmettre plus qu'il ne peut en recevoir. (J'honore parfaitement cette requête de mon partenaire en ce moment. Il est approprié pour lui d'apprendre comment sublimer son ego et cela sera fort utile dans le futur. Ces mots seront très significatifs au cours des mois à venir, soyez-en assurés.)

J'ai tellement d'amour à partager avec chacun de vous. J'aimerais tous vous étreindre!... car vous êtes en service... même quand vous êtes en leçons... et vous n'êtes pas si nombreux à l'être. (C'est pour cela que vous êtes réunis ici ce soir. Vous êtes les précurseurs de la nouvelle énergie et, par votre exemple et votre connaissance, vous pourrez commencer le travail de transmutation.) Il faut agir!... et c'est pour cela que je suis ici. Je ferai ma part qui constitue le troisième équilibre (les trois équilibres de la Terre dont je vous ai parlé précédemment). Au fur et à mesure que je l'alignerai et qu'ils (les nouveaux courants magnétiques) commenceront à bouger, il sera approprié à votre pouvoir de croître. Aucun d'entre vous ce soir, qui avez ouvert votre coeur à la réception de ce message, ne partira inchangé. Certains connaîtront des nuits sans sommeil (dans les temps à venir). Ceci est dû au changement d'énergie et aux implants que j'ai préparés (pour vous par l'intermédiaire de vos guides). Plusieurs entités viennent sur Terre présentement à la seule fin d'être vos nouveaux guides... pour ajuster vos implants et célébrer la nouvelle énergie... car vous êtes profondément plongés en elle déjà.

(Certains d'entre vous ici, au cours de cette communication ce soir, perçoivent déjà la grande différence qui existe entre votre concept du temps et celui de Kryeon. Souventes fois je parle du «présent» qui arrivera beaucoup plus tard pour vous. Je vois les choses arriver toutes à la fois. Même depuis que j'ai entrepris cette expérience avec mon partenaire, tout s'est déroulé dans le présent pour moi... alors que pour vous le déroulement s'est inscrit dans un espace linéaire selon un ordre établi. Je ne peux m'attendre à ce que vous saisissiez d'un seul coup ce concept... Voici cependant une analogie toute simple : Si vous teniez dans vos mains la bande d'un film, lorsque visionnées, les scènes se dérouleraient selon un ordre chronologique. Quand vous tenez le film cependant, tout le temps potentiel se trouve dans vos mains en même temps... tout est dans le présent. Lorsque vous parlez de ce qui se produira à la 25e minute du film, vous n'avez pas à attendre 25 minutes pour voir la scène... car cette portion du futur de quelqu'un d'autre se trouve dans vos mains... tout comme son passé. Voilà comment je vois votre route... ce que je vois surtout ce sont vos fenêtres d'opportunité, plus encore que ce qui arrivera. Si vous êtes réellement conscients de cette différence, vous comprendrez encore mieux ces communications.)

Je vais recevoir trois questions que vous aimeriez poser collectivement à vos guides. Et je vous demande de les formuler maintenant car mon partenaire n'est pas à l'aise avec l'échange dans les deux sens. (Mon partenaire doit encore apprendre qu'il ne doit pas craindre de faillir, car en me laissant le choix de ces questions, je sélectionnerai les questions posées à l'ensemble de tous les guides. Cela servira à ceux qui liront éventuellement ces lignes... mais pour le moment ne concernera pas directement ceux qui sont ici présents. Il est cependant important de répondre aux questions de ce groupe, ce que je ferai plus tard lors d'une autre séance de channelling si mon partenaire le veut bien.)

La question qui revient le plus souvent se rapporte aux OVNIS. Il y a aussi une question à propos du 11:11 et la troisième question concerne les endroits de pouvoir sur le réseau magnétique.

Il y a deux sortes d'OVNIS que vous voyez et que vous connaissez. Il est facile d'établir la différence entre les deux : les uns viennent de mon côté du voile, les autres viennent du vôtre. Ceux qui viennent de votre côté du voile sont faciles à photographier; ils ont des lignes précises et des contours bien définis. Ils ont aussi une apparence métallique. De ce groupe, il y a deux catégories : (1) ceux qui sont éclairés et (2) ceux qui sont négatifs. Ne craignez pas ceux qui sont négatifs car vous avez du pouvoir sur eux. De plus, il est probable qu'ils ne subsistent pas longtemps à cause des changements enregistrés sur la Terre. Mon travail les chassera. Les OVNIS qui viennent de l'autre côté du voile (du côté de Kryeon)... sont difficiles à photographier, ayant des contours vagues. La plupart d'entre eux brillent et produisent parfois des sons. Ils semblent bouger de façon très erratique lorsque perçus en tant que lumières dans le ciel. C'est une fois de plus parce qu'ils ne sont pas dans la même dimension de temps linéaire que vous. Ils sont dans la véritable dimension du temps. Ils donnent la même illusion que vos planètes rétrogrades qui semblent reculer alors qu'il n'en est rien... et leur mouvement n'est pas ce qu'il semble être. (Les planètes qui rétrogradent semblent reculer à cause de la relativité de la plate-forme sur laquelle vous voyagez comparativement à leur mouvement. C'est exactement ce qui arrive avec votre temps. Les différences dans la perception du temps créent de nombreuses illusions à travers l'Univers. Cette expérience des OVNIS est le seul cas où vous pouvez l'observer à l'intérieur de votre propre champ magnétique.)

Il y a plusieurs catégories (d'OVNIS qui proviennent de mon côté du voile). L'une des choses que vous ne réalisez pas, c'est que souvent ce que vous voyez n'est pas un OVNI, mais est en fait un être. Vous assumez, en raison de vos empreintes et de vos implants, que les autres entités sont d'une stature similaire à la vôtre... mais elles ne le sont pas. Ma dimension la plus confortable est comparable à celle d'une maison. C'est ainsi que l'ensemble de mon énergie est véhiculée. C'est ce bloc d'énergie que vous *voyez* souvent. Vous voyez des entités et non des OVNIS... ni des vaisseaux, vous voyez véritablement une entité d'âme/esprit. Parfois nous nous *regroupons* et descendons ensemble mais vous nous voyez séparément. Lorsque nous faisons cela, la couleur de l'ensemble change (à chaque fois qu'une couleur est ajoutée ou enlevée, la couleur principale semble alors modifiée).

Soyez conscients que : il y a ici des esprits négatifs en provenance de ce côté du voile (de mon côté). Je vous avise (et je ne vous en dirai pas plus sur ce sujet pour le moment) que : dans la nouvelle énergie, votre pouvoir n'est plus neutre. Il est axé sur le positif; par conséquent, vous avez un contrôle sur les entités négatives... vous avez un pouvoir et un contrôle sur les entités négatives, vous avez un pouvoir et un contrôle sur les entités négatives. (Lorsque Kryeon répète la même chose trois fois, vous savez alors que c'est important. Mes chers amis, ne craignez pas ce qui vous semble être des forces négatives écrasantes. Vous n'avez pas à vous en faire mais, puisqu'elles sont parfois parmi vous, je dois au moins vous donner quelques directives. Ignorez-les et tournez-leur le dos. Faites appel à la source unique d'amour et elles vous laisseront en paix. Ne soyez pas curieux, car cela leur permettrait d'entrer en interaction avec votre leçon, et cela n'est pas approprié.)

Ne vous inquiétez pas de l'augmentation de l'activité des OVNIS. Nous en avons plusieurs en provenance de nombreux endroits. De plus, il y a une activité constante, continuelle, entre cette planète et mon groupe de soutien en orbite autour de Jupiter. Il y en a beaucoup qui viennent de plusieurs endroits pour célébrer ce temps... avec votre aide. (La plus grande partie de l'activité se concentre autour du service de chacun de vous en tant qu'humains, prêts à recevoir de nouveaux implants et de nouveaux guides. C'est presque comme un changement de garde dans un palais car ceux qui ont été à votre service dans l'énergie passée quittent maintenant leur poste pour aller vers de nouveaux sentiers; ils sont remplacés par ceux qui sont prêts à prendre la relève dans la nouvelle énergie. Sachez que ces changements suscitent beaucoup d'excitations! Ce qui se passe ici ne se produit pas toujours; c'est la célébration des expériences que vous serez appelés à vivre.)

Les deux sortes d'OVNIS (ceux de mon côté et du vôtre), ironiquement, utilisent la grille magnétique pour voyager. Même les entités qui pénètrent l'atmosphère tendent à voyager sur cette grille. Avec le réalignement des forces magnétiques de la grille, les lieux d'atterrissage changeront. (Dans une communication privée avec le professeur Barbra, j'ai expliqué que le train ne pouvait aller que dans les endroits où passe la voie ferrée... Je faisais allusion aux activités qui entourent les lieux d'atterrissage des OVNIS. Vous avez beaucoup à découvrir dans cette seule connaissance. Si vous posez les bonnes questions et tirez les bonnes conclusions, vous découvrirez beaucoup de choses sur la façon dont les forces magnétiques sont utilisées en tant que source de puissance.)

La question suivante concerne le réseau ou la grille magnétique et les endroits de puissance. Vous êtes peut-être intéressés à savoir qu'une partie de votre pouvoir est emmagasinée dans la grille magnétique, et qu'elle l'a toujours été. C'est ce que vous *ressentez* dans les endroits de puissance où vous voyagez, car vous n'avez pas toujours été capables de contenir tout votre pouvoir. (Je pourrais vous enseigner beaucoup de choses à ce sujet; c'est intéressant mais cela ne vous assisterait pas en ce moment à accomplir votre tâche. Pour ceux que cela intéresse... le «morceau de Dieu» que votre âme représente ici sur Terre a retenu chaque parcelle de l'énergie universelle qu'elle possédait lorsqu'elle était de l'autre côté du voile. Une grande partie de l'énergie est emmagasinée dans plusieurs endroits collectifs cependant et non à l'intérieur de votre corps. C'est bien comme cela, car autrement vous n'auriez pas de leçons! La grille est instrumentale pour entreposer une grande partie de cette énergie, mais celle-ci est aussi entreposée dans certains endroits profondément enfouis dans la Terre où une portion du «moteur» de la grille est située. Ceci est complexe et non nécessaire à votre cheminement actuel.)

(La chronologie de l'énergie disponible à votre âme est fascinante cependant... même pour moi... car elle implique directement les grands maîtres de votre passé et m'a amené ici maintenant devant vous. Jésus est venu vous dire que vous aviez enfin la possibilité de la contenir, et je viens pour vous en faciliter la tâche!) Ce n'est qu'avec l'ouverture de cette fenêtre (la nouvelle énergie) que vous pourrez enfin prendre pleinement possession de votre pouvoir et accomplir ce à quoi vous deviez vous contenter de rêver jusqu'à maintenant. (Ceci concerne l'annulation des implants qui vous ont maintenus dans la leçon, et vous ont empêchés d'atteindre la pleine lumière.) Au fur et à mesure que s'accomplit ce processus, vous puiserez l'énergie des endroits de puissance. Ainsi, ce qui précédemment constituait des endroits de puissance deviendra alors des points neutres. Ils sont actuellement des endroits d'emmagasinage d'énergie pour vous. Cela fait partie de l'équilibre (dont je vous ai parlé précédemment), car l'énergie de la Terre est toujours restée la même... elle ne fait qu'être transférée entre les choses... dans ce cas, entre la grille et vos âmes qui sont en leçon. (Par conséquent, éventuellement, il n'y aura plus «d'endroits de puissance» où vous pourrez vivre ou voyager et vous sentir mieux.) Donc, pour répondre à la question : *Où déménager?* qui a été posée ce soir... quel que soit l'endroit où maintenant l'on se sent bien, il pourrait en être autrement plus tard. Si vous voulez un conseil... si cela vous est possible le meilleur endroit pour accomplir votre travail sera dans les régions au climat plus frais.

Finalement, une question à propos du **11:11**. Qu'est-ce que c'est? Cela devrait être évident. C'est le portail. Cela représente cette période de temps de 11 ans. Cela représente l'énergie de Kryeon. Je ne suis en effet pas venu ici de mon propre chef... il y a un plan directeur qui m'a prédestiné à venir. Mon partenaire n'a pas non plus inventé mon nom. Le mot «Kryon» (tel qu'écrit en anglais NdÉ) a été choisi parce qu'il représente la vibration du 11 (exprimées par l'association des lettres, comme je vous l'ai expliqué précédemment, plus facile à comprendre pour ceux qui ne sont pas familiers avec les nombres.) De plus, il comporte des portions de la tonalité qui fera aussi partie de la tonalité utilisée par les huit autres canaux de Kryeon sur la Terre. Recherchez le son «ail.i.i.é.é.a.ah.» dans chacun de ces noms qui ne finissent pas par une consonne (i.e. avec un arrêt subit), mais par un «nnnnnnn» ou un «uummmm». Voilà le Kryeon (Kraiyiéonne NdÉ). Son nom sera adapté aux huit langues, de sorte qu'il aura toujours la vibration du 11 (en épellation simple pour chacune). Ceux d'entre vous qui ont lu la documentation (le compte rendu des communications de Kryeon écrits par mon partenaire à ce jour), étudié les nombres et les ont additionnés l'un à l'autre, comprendront et réaliseront que je suis arrivé le 1-1-1-9-8-9. Cela fait 11. Mon point de départ... 1-2-3-1-2-0-0-2... donne 11. (Ce sont les dates d'arrivée et de départ que j'ai données à votre partenaire et que je vous ai soumises pour étude à travers les écrits jusqu'à maintenant. Il y a encore beaucoup à apprendre de l'observation de la signification des nombres dans ces écrits. Si vous calculez le temps qui s'écoulera du début de la nouvelle énergie le 1/1/92 jusqu'au 31/12/2002, vous découvrirez en outre que je serai avec vous dans la nouvelle énergie pendant exactement 11 ans). Cela fait partie de la fenêtre 11:11. C'était prédit. C'est le pouvoir du changement. C'est votre cadeau... celui que vous vous êtes mérité aujourd'hui. Il y a bien peu que vous ne puissiez accomplir avec votre nouveau pouvoir mais vous devez commencer par vous-mêmes (comme je vous l'ai déjà indiqué).

Dans d'autres channellings, j'aimerais vous parler de la guérison. Il y en a dans cette pièce en ce moment qui en ont besoin... il y a quelqu'un qui souffre d'un problème surrénal... la guérison pourrait être instantanée. Il y a de l'anxiété... quelqu'un s'inquiète de... sa voiture; vous devez vous élever au-dessus de ces préoccupations... (en parlant de celles de peu d'importance) car l'énergie d'amour est bien au-dessus de tout cela. Ces choses ne méritent pas votre attention.

Avant de vous laisser, j'aimerais que vous puissiez me voir. Vous auriez alors un aperçu de la façon dont les couleurs et les *patterns* sont agencés pour toutes les entités... J'aimerais aussi, si vous suivez mes directives, vous amener pendant un court instant au-delà de l'atmosphère terrestre. Ceux d'entre vous qui ont vécu des expériences *de sortie de corps* dans le passé... ce que mon partenaire n'a jamais expérimenté... sauront que ceci est juste. J'aimerais que chacun de vous ouvre son cœur et permette ceci.

Imaginez en esprit que vous êtes en train de flotter au-dessus des nuages. Vous êtes au-dessus de l'atmosphère de la Terre et c'est noir autour de vous. Votre énergie a atteint sa pleine expansion. Maintenant... si vous regardez en-dessous de vous... vous verrez qu'il y a quelque chose de différent... quelque chose... qui est indicateur de la nouvelle énergie. Ceux qui ont déjà vécu cela se rendront compte qu'il manque quelque chose : le cordon argenté a disparu! Ceci est votre permission de *continuer* si vous le voulez (mais aucun d'entre vous ne le fera). Vous êtes libres... lorsque vous vous approcherez de moi, je serai immobile. Ressentez la vibration d'amour autour de moi... car je vous aime si tendrement! C'est la source unique d'amour. C'est l'amour universel. Il vibre si rapidement que vous ne pouvez le voir (c'est pourquoi la source de ce pouvoir et de cette énergie incroyables vous apparaît noire).

Lorsque vous m'apercevrez, vous verrez que j'ai 11 côtés... et que chacun a une structure différente. (Notez que les structures ne sont pas symétriques et qu'elles sont toutes différentes.) Tel un vitrail, mon image est segmentée. Chaque côté a sa propre couleur. Lorsque vous m'approcherez et m'entourerez, je commencerai à tourner sur moi-même. Lorsque j'atteindrai la vitesse de la vibration qui est l'énergie de Kryeon, vous verrez ma couleur, qui est l'énergie de Kryeon, se dessiner. C'est l'apogée des 11 côtés qui tournent sur eux-mêmes et qui se fondent en un seul. Ce que vous percevez (ce que vous pouvez percevoir) n'est qu'une fraction... une portion infime de la véritable vibration car la plus grande partie de cette vibration est hors de votre portée (de votre perception humaine). Ce qui en résulte est un merveilleux irisé de couleur cuivre.

C'est la couleur de Kryeon (selon votre perception). Les autres entités qui viendront à vous dans le futur au cours de ces années (de nouvelle énergie) seront de couleur bleue ou vert foncé... et beaucoup d'autres magnifiques couleurs foncées. Celles-ci (les couleurs perçues) sont seulement le résidu de ce que <u>vous ne pouvez voir</u>. C'est pourquoi les couleurs sont plus foncées que vous vous y attendez (vous nous avez toujours vus à un niveau inférieur de vibration jusqu'à maintenant à cause, en partie, du type d'entités qui ont été à votre service pendant les derniers 2000 ans. Ces vibrations à un niveau plus bas, ironiquement, semblaient être beaucoup plus colorées et intenses parce qu'elles se trouvaient dans votre champ de vision.) Au fur et à mesure que j'accélèrerai ma vibration jusqu'à son maximum, vous pourrez voir la splendeur de cette entité et réaliserez à quel point chacun de vous lui ressemble... avec des couleurs différentes, des dimensions légèrement différentes et plusieurs *patterns* différents.

Au fur et à mesure que nous tournoierons tous ensemble, vous ressentirez l'amour que j'ai pour vous. (C'est l'état dans lequel j'aimerais vous amener à chaque fois que nous serons ensemble dans l'avenir. Plusieurs informations peuvent vous être transmises de la sorte et la source d'amour peut vraiment être efficace pour vous. Ainsi, vous n'avez aucune idée de ce que vous pouvez accomplir personnellement si vous arrivez à cet état avec moi.) Maintenant, alors que vous redescendez sur Terre, je vous exhorte à abandonner vos préoccupations superficielles... car il y a du travail à faire. (Les choses sans importance dont je parle sont celles auxquelles vous réfléchissez maintenant, tel que comment orienter votre vie et quelles attitudes adopter pour vous-mêmes. En vous invitant à abandonner ces préoccupations, je vous demande d'avoir complètement confiance que tout arrivera au moment opportun et que vous ne devez pas laisser ces préoccupations accaparer la principale partie de votre énergie présentement... car vous avez des choses beaucoup plus importantes à accomplir pour la planète... et que c'est là votre tâche principale. Vous vous êtes engagés à faire cela! Votre moi supérieur le sait, et votre intuition sera augmentée de façon à permettre à votre esprit conscient de le savoir également, de sorte que vous obtiendrez réconfort et paix de cette connaissance.)

Je suis Kryeon, et vous êtes tendrement aimés.

Avec ceci, j'ai rempli mon engagement en ce qui concerne le channelling en direct.

L'auteur.

QUATRE

Les réponses de Kryeon

Kryeon répond à des questions précises

Presque 90 jours plus tard, le groupe métaphysique des 14 répond au channelling en direct avec une série de huit questions. Je mentionnerai toutes les questions et les réponses, même si l'une d'elles, se rapportant à une élection, est spécifique à notre époque en Amérique. Peut-être que l'information sera intéressante, même si elle sera périmée au moment où vous lirez ce livre après le fait. Voici donc la liste des questions posées par les métaphysiciens :

1. Connaissez-vous la carte Hopi et, si oui, quel est votre point de vue à son sujet?
2. Est-ce qu'il sera nécessaire qu'une partie importante de la population meure pour assurer l'équilibre de la planète Terre?
3. Est-ce que les enfants indigo auront le temps d'accomplir au moins la majeure partie de ce qu'ils sont venus faire?
4. Selon vous, combien de temps cela prendra-t-il pour ajuster le réseau des méridiens?
5. Quel est l'aspect personnel le plus important sur lequel les individus doivent se concentrer dans leur

vie de tous les jours?

6. À part le fait de travailler sur moi-même personnellement, qu'est-ce que je peux faire pour aider l'humanité?

7. Pouvez-vous décrire un exercice physique qui permettrait d'obtenir un meilleur alignement pour recevoir de l'information?

8. Qui serait le meilleur président (des États-Unis) en fonction d'une base d'amour et qui préconiserait l'holisme plutôt que le séparatisme?

Lorsque vous considérez ces questions, en comprenez-vous le langage? Si non, peut-être que les réponses fournies vous aideront à mieux comprendre le contexte. De toute évidence, ces questions ont été bien pesées et elles sont fondamentales pour ceux qui sont éclairés. Il vous serait peut-être utile d'en découvrir davantage sur les sujets traités. Songez-y : si ces gens veulent en connaître plus sur ces sujets... peut-être le devriez-vous également?

Les réponses seront rapportées littéralement et elles s'adressent spécifiquement aux gens qui ont posé les questions en tant qu'individus vivant dans la région du Sud de la Californie, aux États-Unis. Pour cette raison, ce chapitre pourrait ne pas être d'un intérêt aussi général que le reste des écrits de ce livre. Comme d'habitude, cet avant-propos est composé avant la transmission de la communication. Par conséquent, j'ignore pour le moment le contenu des réponses. Je vous invite à les découvrir en même temps que moi en poursuivant votre lecture...

DE NOUVELLES RÉPONSES POUR DES TEMPS NOUVEAUX

Je vous accueille de nouveau dans le parfait amour! J'ai reçu toutes vos questions et je suis une fois de plus très heureux de constater à quel point vous comprenez à fond votre temps dans cette nouvelle énergie. Il est très important que cette traduction soit claire! Je vais demander encore une fois à mon partenaire de faire le vide dans son esprit et de n'y laisser pénétrer que ce qui nous occupe présentement. Les deux premières questions seront considérées comme une seule. Elles sont les suivantes :

Question : Connaissez-vous la carte Hopi et, si oui, quel est votre point de vue à son sujet?

Question : Est-ce qu'il sera nécessaire qu'une partie importante de la population meure pour assurer l'équilibre de la planète Terre?

Réponse : Ces questions sont reliées l'une à l'autre (comme vous le constaterez) et ce sont des questions qui s'appuient sur la peur. Ceci n'est pas une critique... seulement une observation. Mes très chers, je vais répondre à ces questions car vous le méritez, mais je vais aussi les approfondir pour que vous compreniez plus en profondeur pourquoi vous avez voulu savoir ces choses (cela pourrait être intéressant pour vous) et pourquoi la réponse est ce qu'elle est.

Presque sans exception, tous ceux qui étaient présents lors de la séance de channelling en direct de mon partenaire ont quelque chose en commun : vous avez tous une peur biologique sous-jacente de mourir écrasés ou noyés lors d'un désastre naturel.

La peur de l'extermination pendant que vous êtes en leçon est tout à fait normale... mais il y a plus que ce sentiment de base chez les 14 d'entre vous. Rappelez-vous que je sais qui vous êtes et que je connais vos expressions passées. Vous étiez tous présents dans l'ancienne Atlantide et chacun de vous, d'une certaine façon, a l'impression d'avoir été trahi par la Terre à ce moment. Ceci peut paraître fantastique à certains mais, je vous en prie, poursuivez votre lecture.

Bien que vos vies ont toutes été terminées par contrat (une entente préalable selon un plan enclenché par vous-mêmes et par l'univers), vous avez transporté les *sentiments-semences* de l'extermination avec vous pendant tout ce temps. Ces sentiments-semences représentent les émotions que vous transportez comme une partie de votre empreinte à travers plusieurs expressions. Ce n'est pas le bon moment pour vous révéler les relations passées de votre groupe karmique, ni pourquoi l'Atlantide a été engloutie... mais vous rappelez-vous que, dans un message précédent, je vous ai dit que j'étais déjà venu auparavant?... et que, les deux dernières fois, l'humanité avait été exterminée pour que je puisse faire mes ajustements? (page 28 de ce livre). Et bien, me voici encore en train de faire des ajustements! Ce n'est pas par hasard que vous vous *sentez* anxieux!.. puisque la dernière fois que vous avez ressenti ma présence, j'ai contribué à créer votre extermination! Comme il a été mentionné précédemment dans les écrits, chacun de vous me connaît. La partie de Dieu en vous reconnaît et célèbre la partie de Dieu en moi. Bien que vous connaissiez très bien notre interrelation, présentement (parce que vous êtes en apprentissage), vous ne pouvez, à juste titre, avoir qu'une vision floue de moi-même et vous souvenir que des sentiments les plus intenses vécus la dernière fois que vous m'avez vu. Je vous aime tendrement... De grâce, n'ayez pas peur de moi. Je ne suis pas ici pour organiser une autre extermination planétaire.

Ces deux questions portent sur l'extermination de l'humanité, car la prophétie d'origine Hopi transmet son message silencieux de destruction massive à travers sa carte des nouvelles configurations des continents. La Terre vous trahira-t-elle encore (vous demandez-vous)?

Ma réponse à cette question sera hautement logique, car il en est ainsi de l'univers. Je commencerai par vous citer quelques faits. Ceux-ci proviennent à la fois de mes précédents écrits et de nouvelles réflexions. Tous les faits, s'ils sont bien compris, vous conduiront à la réponse correcte et éclairée lorsque j'aurai complété l'exercice.

Je suis Kryeon, le maître magnétique. Mon travail me donne accès à une très grande compréhension du psychisme de l'humain biologique, puisque mes ajustements magnétiques sont interdépendants du fonctionnement de votre conscience lorsque sur Terre (pages 26 et 27). Je connais aussi votre passé ainsi que vos futures fenêtres d'opportunités. Celles-ci sont des fenêtres que vous pourrez choisir de prendre ou non; elles ne sont pas des fenêtres de prédestination. Vos questions à propos de la Terre et de l'extermination de l'humanité recèlent une vérité cachée. Il est temps que vous réalisiez la signification de votre connexion à la Terre. Ceci vous aidera à concevoir la réponse à vos propres questions.

LE PARTENARIAT AVEC LA TERRE

Il est bien ancré dans votre culture occidentale que la Terre est un élément séparé et indépendant de l'humain biologique et spirituel. Lorsqu'une personne est perçue comme non spirituelle, on la décrit, dans votre culture, comme «terre-à-terre». Ceci crée un partenariat négatif qui ne démontre pas seulement à quel point les humains de votre culture comprennent peu les faits mais donne en outre une connotation négative à quelque chose d'extrêmement sacré.

Laissez-moi vous poser les questions suivantes : En vous basant sur mes enseignements jusqu'à maintenant (1) quel travail a été accompli lorsque l'entité Kryeon est venue à plusieurs reprises sur votre planète? (2) en accomplissant son travail, de quelle partie de la planète Kryeon s'occupait-il plus particulièrement? (3) quel a été l'aboutissement de ce travail?

Les réponses sont : (1) Le travail accompli a été de changer l'alignement magnétique de la **Terre**. (2) Les parties spécifiques concernées étaient les grilles magnétiques de la **Terre** et (3) L'aboutissement de ce travail était de permettre aux **humains** d'être éclairés. En ce moment vous vous demandez peut-être... si l'aboutissement de ce travail était destiné aux humains, pourquoi alors Kryeon s'occupait-il de la Terre physique?... pourquoi ne pas s'occuper directement des humains? La réponse à cela, mes très chers : c'est ce que j'ai fait... en m'occupant de la Terre! La plupart des 14 d'entre vous savent exactement de quoi je parle, mais pour d'autres qui lisent ces lignes présentement, je vais élaborer davantage tout en continuant à répondre à vos questions.

La Terre et l'humain en leçon forment un partenariat inséparable. Vous ne pouvez être équilibrés à moins de comprendre votre *partenariat-racine* avec la planète, à travers votre connexion avec le cœur de la

Terre. C'est une connexion spirituelle, et elle était avec vous dès le commencement du monde lorsqu'il a été préparé pour vous. Votre culture, particulièrement, a choisi de se séparer de la Terre, sans réaliser que cela séparerait aussi les humains d'un pouvoir, d'une source de lumière et d'un équilibre exceptionnels. Vous devez traiter la Terre comme un partenaire vivant et actif; vous devez célébrer son existence et honorer sa santé. La Terre ne vous procure pas seulement nourriture et protection, elle vous donne aussi votre conscience de base, vous procure la lumière spirituelle (par l'alignement du réseau magnétique), vous protège contre la maladie, s'équilibre et se guérit elle-même régulièrement (sans aide de votre part); elle est en fait le parent de votre biologie humaine. De plus, elle est à votre disposition avec ses ressources illimitées et son pouvoir que vous n'avez pas encore reconnu! Ajoutez à cela l'armée d'entités qui se trouvent en son sein et qui apportent la justesse universelle pour aider à équilibrer la force de vie sur la planète.

Pourquoi est-ce que je vous dis cela? Pour que vous puissiez apprécier les cultures qui célèbrent effectivement la Terre... car ces cultures sont davantage à la fine pointe de la lumière spirituelle... et... ce sont les cultures avec lesquelles les entités comme Kryeon travaillent directement depuis de nombreuses années.

Qui sont-elles? Elles représentent les cultures du monde entier... plus particulièrement celles de l'Amérique du Sud, de l'Inde, de l'Asie, de l'Australie et... aussi de ceux que vous appelez les Indiens d'Amérique. Plusieurs d'entre vous reconnaîtront immédiatement qu'elles sont souvent le point de mire de la plupart des activités des OVNIS et, comme je l'ai précisé lors de la première transmission en direct de mon partenaire avec vous (pages 106-108), plusieurs de ces OVNIS viennent de mon côté du voile. Je vous révèle donc une vérité : il y a une grande communication spirituelle qui s'établit entre les entités de mon côté du voile et ces groupes... plus qu'avec ceux de votre culture.

Dans le même ordre d'idées, je dois vous révéler ceci à propos de la carte Hopi : elle a été communiquée d'un niveau très élevé et elle a le potentiel d'être tout à fait exacte. Vous devriez aussi savoir ceci cependant : l'information fournie par la carte Hopi n'est pas du tout nouvelle. Cette information est disponible depuis bien au-delà de 400 ans. Le plus célèbre auteur qui a contribué à diffuser cette information était un Européen qui a vécu au XVIe siècle. Sa carte et la carte Hopi sont très similaires; toutefois, la carte européenne indique que vos maisons seront submergées au cours des quelques prochaines années... alors que la carte Hopi illustre vos maisons bien assises sur un des seuls secteurs épargnés!... Dans ce cas, qui dit vrai? En outre, l'ancienne science Hopi nous présente une explication complètement différente du nouveau profil de la Terre... au fil du déroulement de votre histoire humaine, de nouvelles versions des raisons et des causes ont été proposées pour la même prophétie... pourquoi ces changements?

Je vous rapporte ces différentes interprétations pour que vous sachiez une fois de plus que : **aucune entité dans l'univers ne peut prédire le résultat de votre test à venir!** (page 31). Sachant fort bien que vous chercheriez à savoir ceci, je vous ai aussi mis en garde, par l'intermédiaire de mon partenaire lors de la séance de channelling en direct, lorsque j'ai parlé des images impressionnantes que vous pourriez recevoir en provenance de mon côté du voile de ce que les choses pourraient être. Je vous en prie, relisez ces lignes (pages 101-102); elles seront encore plus significatives maintenant. Cette information sur la prophétie Hopi arrive à point... elle représente l'éventuel aboutissement de la planète **tel que perçu à ce moment par la conscience et l'illu-mination du canal de communication**. Pourquoi croyez-vous qu'il y a 400 ans on a prédit que votre ville s'enfoncerait dans l'eau... et que la prophétie Hopi pourvoit à sa sécurité? Qu'est-ce qui a changé? La réponse est que vous avez changé votre ville! Il ne peut y avoir meilleur exemple pour illustrer ce que j'essaie de vous expliquer. Votre travail sur la planète peut changer ces prédictions. La source d'amour est capable de le faire à travers vous. Comprenez-vous maintenant?... l'avenir n'est pas établi. Il y a d'autres informations logiques qui expliquent ces changements dans votre secteur et je vous les communiquerai à la fin de cette section avant de passer à d'autres questions.

Revenons à la carte Hopi : Les cinq lieux de pouvoir concordent parfaitement avec mon plan de réalignement pour votre continent. Ceci est important : il n'est pas nécessaire que la nouvelle délimitation du continent soit accomplie pour que les nouveaux lieux de pouvoir soient établis. Ces secteurs de puissance sont actuellement des ports d'attache à partir desquels le moteur à l'intérieur de la Terre peut s'ajuster au réseau magnétique. Ceci est complexe et ne constitue pas une information nécessaire à votre croissance à ce moment. Même si géographiquement ces zones de puissance sont clairement définies, je ne vous recommande pas d'aller vous y installer pour vivre. Si cela était approprié, je vous l'aurais conseillé dès le départ. Rappelez-vous que vous êtes des morceaux de Dieu. Vous n'avez pas besoin de tirer votre puissance d'ailleurs qu'en vous-mêmes. Ceux qui ne comprennent pas cela seront tentés d'aller vivre dans ces secteurs.

Finalement, au sujet du partenariat de la Terre, je dois vous dire que : quels que soient vos nouveaux implants, quel que soit le niveau de paix que vous avez atteint et quel que soit le degré de lumière dont vous profitez, vous réagirez à coup sûr au stress que vivra la Terre. C'est précisément pour cela que vous devez travailler à élever le niveau vibratoire de la planète physique. La planète est votre partenaire et elle est vivante avec vous. Plusieurs d'entre vous sont sensibles à l'activité géologique, qu'elle soit volcanique, sismique, aquatique, magnétique ou géothermique. Si vous *ressentez* le stress de la Terre, c'est que vous êtes réellement *syntonisés* à ce partenariat. C'est une situation normale qui n'est pas appelée à changer pour vous. La seule façon de changer ceci est de changer la planète. Comprenez-vous maintenant pourquoi je suis capable de <u>vous</u> changer en modifiant les aspects magnétiques de la planète <u>physique</u>? Voilà de la science dans sa plus pure expression : le mariage du physique au spirituel.

Quant à la seconde question concernant l'extermination de masse : Est-ce qu'il sera nécessaire qu'une partie importante de la population meure pour assurer l'équilibre de la planète Terre? La réponse est oui. Ce nombre, cependant, représente seulement environ 1% de la force de vie ici-bas. Il ne s'agit pas d'une extermination globale (comme je vous l'ai déjà promis). Qui sera touché?

Voilà : ceux qui n'ont absolument aucun espoir de parvenir à une plus grande illumination que celle qu'ils ont déjà. Ceci est aussi complexe; c'est relié aux groupes karmiques et au karma stellaire. C'est déjà commencé. Dans mes écrits précédents, j'ai déjà parlé de cela lorsque, entre autres, je vous ai donné de l'information sur les gouvernements qui décident pour la masse (page 34). La Guerre du Golfe est un exemple qui illustre parfaitement comment quelques dizaines de milliers de personnes d'un seul coup ont quitté la planète en quelques jours. D'autres guerres, dont certaines opposent une race contre l'autre, en feront autant. Un autre exemple est la famine. En fait, à cause de l'inaction d'autres humains, tout un groupe karmique mourra de faim et quittera en bloc la planète. Plusieurs succomberont aussi à la nouvelle maladie, surtout en Afrique, et à des événements naturels inhabituels. Par inhabituels, je veux dire des événements qui ne sont pas prévisibles ou attendus.

Concernant la région où vous vivez : n'associez pas nécessairement la menace de tremblement de terre à la fin des temps. Ce à quoi vous faites face est une simple réalité géologique... et sa localisation est très restreinte. Bien sûr, tout tremblement naturel majeur est universellement approprié, tout comme les pertes de vie qui lui sont associées. Cela peut vous paraître catastrophique... tout comme cela l'a été pour les Asiatiques ou les Sud-Américains lors de leurs événements... mais ce n'est pas un événement à la grandeur du globe. Vous savez que le sol bouge dans votre région depuis plus de 100 ans. Depuis 30 ans, vous en connaissez exactement les causes et les endroits où cela pourrait survenir. Vous continuez à vivre dans cette région malgré tout, même en sachant que la Terre bougera éventuellement en un endroit précis et que vous en souffrirez probablement. Je vous ai parlé de votre partenariat avec la Terre.

Pouvez-vous imaginer l'effet que cela produit sur vous de vivre dans une région où la terre est toujours stressée? Si les plantes et les animaux peuvent en témoigner (et ils le peuvent), alors vous devriez aussi réaliser que votre équilibre est dérangé par cela. Pendant la séance de channelling en direct, je vous ai recommandé de déménager dans un endroit où le climat est frais. C'est un conseil qu'il fallait prendre littéralement, car le Kryeon n'a pas d'autre motif que de vous donner la bonne information qui vous procurera la paix dans votre vie actuelle. Si vous vous inquiétez de votre région et de toutes les prédictions d'activité géologique à venir... alors vous ne devez pas y rester. Déménagez au Nord... ou à l'Est où il fait plus frais. Ce sont les régions qui vous conviendront le mieux. Règle générale, il est logique et pratique de ne jamais vous permettre de rester dans une situation qui vous inquiète. N'est-ce pas élémentaire pour vous? Vous n'avez certes pas besoin de ma sagesse pour vous conseiller là-dessus.

Avant de poursuivre avec les autres questions, je souhaite vous répéter encore une fois que, si vous n'êtes pas à l'aise avec les anciennes prédictions, vous devez partir. Certains profiteront d'un discernement de groupe qui leur permettra de reconnaître les prédictions injustifiées et d'être en paix face à elles. Vous verrez passer plusieurs *sombres* prédictions sans que rien ne se produise à *l'heure fatale* annoncée. Certains devront vivre ces expériences pour croire pleinement ce que je vous dis présentement. Je suis venu ici pour vous donner l'amour, la puissance, l'énergie et la lumière... parce que vous l'avez mérité. Ne vous inquiétez pas avec des *oui mais* pendant votre leçon. Toute votre biologie humaine est conditionnée en ce moment pour aller de l'avant de concert avec mon travail. Ne perdez pas de temps à générer de l'énergie de pensée au sujet d'événements qui pourraient ne jamais se produire. Cela ne vous servira à rien! Continuez plutôt à lire ce que j'aimerais partager avec vous. Mes réponses aux questions qui m'ont été adressées vous aideront possiblement à acquérir la paix qui calmera vos inquiétudes.

Questions: Est-ce que les enfants indigo auront le temps d'accomplir au moins la majeure partie de ce qu'ils sont venus faire?

Réponse: Vous vous souvenez peut-être que je vous ai transmis de l'information au sujet des couleurs auriques du nouvel âge, plus particulièrement des nouvelles teintes de bleu foncé qui se manifestent en ce moment (page 80). C'est sans aucun doute ce à quoi vous vous référez par les termes *les enfants indigo*, car à ce stade particulier, chaque humain dans cette condition est un enfant.

Cette question me porte à croire que vous estimez que ce groupe est chargé d'une mission spéciale. Ce n'est pas le cas. Laissez-moi vous expliquer : ces individus sont simplement des nouvelles expressions qui ont des moyens que vous n'avez pas eus, à savoir (1) une vibration plus élevée (2) une empreinte qui efface certains attributs astrologiques qui affectent habituellement tous les humains, et (3) une constitution biologique spécifique qui leur permet de mieux réagir aux impuretés manufacturées par les humains de la planète qui font maintenant partie de la vie courante de la vie humaine. Ces individus arrivent comme une nouvelle génération d'expressions, ayant hérité de ce que vous avez contribué à créer (une empreinte modifiée). Ceux qui quitteront la planète durant cette période (et ils seront nombreux, tel qu'indiqué dans la réponse à la dernière question), seront capables de revenir immédiatement dans cette nouvelle condition, (si cela est approprié) pour ainsi aider la planète dans ce nouvel âge de puissance. Il n'est pas assuré que ces individus seront nécessairement plus éclairés que les autres ou qu'ils se regrouperont pour accomplir des tâches planétaires spécifiques.

En devenant plus matures, cependant, certains auront la capacité de *passer à travers* les transitions humaines habituellement difficiles vers la pleine illumination et, très jeunes, ils pourront se joindre à vous pour partager les tâches qui contribuent à élever la vibration de la planète. Il y a deux secrets bien évidents qui se cachent dans ce que je viens de vous dire, et l'un des deux répond directement à votre question.

(1) C'est parce que cela leur permettra de revenir en tant qu'enfants indigo que tant de gens devront quitter la planète à ce moment! Voyez-vous à quel point cela sera puissant pour la transition de la planète?

(2) Comme ils ne font que commencer à arriver maintenant avec leurs nouveaux attributs, vous connaissez déjà alors un secret à propos du futur! Vous savez évidemment combien de temps cela prend à un humain pour devenir adulte. Faites votre calcul. Vous semble-t-il que vous pourriez travailler pendant un bon 20 ans ou plus? La réponse est oui. La révélation de ce secret vous ouvre un horizon, dans le temps, différent de ce à quoi vous vous attendiez peut-être. C'est notre prédiction **selon la conscience et l'illumination de ce canal de communication en ce moment.** Oui, ils auront le temps. Voulez-vous savoir combien de temps?... lisez alors ma prochaine réponse.

Question: Selon vous, combien de temps cela prendra-t-

il pour ajuster le réseau des méridiens?
Réponse: Pour répondre littéralement... aussi longtemps que pour les parallèles! (humour cosmique) Le but de votre question, je suppose, est de savoir combien de temps prendront les ajustements de la grille magnétique. Lorsque je repartirai le 31/12/2002 (page 112), tous les ajustements seront complétés. Cette réponse, comme la précédente, devrait vous rassurer sur la longueur du temps dont vous profiterez pour accomplir votre tâche. Vous aurez au moins de 10 à 15 ans après mon départ pour travailler à partir de mes ajustements finalisés. Vous avez mérité cela.

Lisez bien cette information!

Mon partenaire souhaite que je clarifie davantage cette information, car il est évident que plusieurs d'entre vous n'ont pas encore pleinement compris la signification de tout ceci :
1. Votre millénaire arrive à sa fin.
2. Il a été prophétisé à plusieurs reprises que cela amènerait la fin de la vie sur Terre, car une extermination était prévue et l'école devait être transformée en un lieu neutre pour accueillir une autre école. Le temps de préparation pour la nouvelle école aurait été d'un autre 1 000 ans. Eh oui... je serais encore revenu pour effectuer d'autres ajustements après cela.
3. **Ce plan a maintenant été modifié!** Vous ne serez pas exterminés. Vous ne traverserez pas nécessairement d'horribles guerres et ne serez pas entraînés dans un soulèvement planétaire qui aurait marqué votre départ en l'an 2001. Vous vous êtes mérité le droit de rester et de contrôler entièrement votre propre destinée... <u>pour encore bien des années dans ce</u>

premier siècle du nouveau millénaire. Ceci vous l'avez réalisé par vous-mêmes en élevant la vibration de la planète à travers la conscience de la pensée au cours des 60 dernières années (à la onzième heure... pourriez-vous dire).

4. Tel que précisé jusqu'à maintenant dans ces écrits, plusieurs seront exterminés et reviendront avec de nouveaux pouvoirs. En outre, la transition vers ce nouvel âge d'auto-détermination et de puissance sera marquée de changements. Les choses ne seront plus pareilles pour personne d'entre vous, mais je vous ai donné des nouvelles qui devraient vous aider à passer beaucoup plus facilement à travers ces changements.

Maintenant vous savez exactement ce qui va arriver et je vous affirme que vous avez bien plus de pouvoir pour *encaisser les coups* que vous n'en aviez auparavant. Soyez en paix avec cela! Croyez-moi... si vous n'êtes pas en paix pendant cette période... vous ne resterez pas. Les années que vous avez consacrées à travailler avec l'univers jusqu'à maintenant devraient vous avoir assagis... elles devraient vous avoir permis de ne pas être trop ancrés dans vos habitudes pour refuser le changement universel approprié. Mes bien-aimés, c'est votre temps... prenez-le!

Question : Quel est l'aspect personnel le plus important sur lequel les individus doivent se concentrer dans leur vie de tous les jours?

Réponse: Cette question et les deux suivantes portent sur la façon d'accomplir le travail. C'est pour cela qu'on vous célèbre! Vous ne vous êtes pas seulement informés des dangers... vous voulez vraiment œuvrer! Je n'en attendais pas moins de vous. Considérez cette question et les deux suivantes comme un groupe de trois questions que vous pourrez utiliser ensemble pour votre bénéfice. La première question traite de votre santé spirituelle au jour le jour. La seconde (qui suivra) traite de votre travail pour l'humanité, et la troisième (qui suivra également) porte sur la procédure à adopter pour accomplir l'un et l'autre.

Je vais répondre à la première question précisément. Vous devez régler ce qui ne va pas dans votre vie de tous les jours avant de vous attendre à passer à un niveau plus élevé. Ce qu'il y a de plus important à acquérir dans votre vie de tous les jours, c'est de retrouver la paix et l'équilibre qui doivent accompagner votre illumination. Dans ce but, je vous conseille en premier lieu de cesser de créer vos propres tourbillons de pensées négatives! Votre vie de tous les jours est remplie de mauvaises réactions face à des événements ou à d'autres hommes. Comment pouvez-vous accomplir le travail quand vous êtes préoccupés par ce genre d'émotions? Tous mes enseignements jusqu'à maintenant dans ce livre traitent du changement de votre empreinte à travers l'acceptation de nouveaux implants qui vous permettront de ce faire. Voyez-vous la corrélation maintenant? Les ajustements de la grille magnétique que j'effectue présentement renforceront ce changement en vous et vous donneront plus de pouvoir pour l'accomplir. Tout cela fait partie de vos nouvelles attributions.

Vous devez vous concentrer jour après jour pour ne pas réagir aux *boutons* que vous avez permis aux autres d'actionner en vous pendant toutes ces années. Quelqu'un vous a-t-il insultés ou blessés? Quelque chose semble-t-il aller mal? Quelqu'un vous a-t-il déçus? Sur une base quotidienne, prenez le contrôle de ces émotions. Vous pouvez presque complètement les annuler! Lorsque vous le ferez, vous le saurez... croyez-moi, vous vous sentirez différents. La réponse à la troisième question vous aidera au niveau de la méthode. Le but visé est d'instaurer la paix dans vos vies afin que vous puissiez accomplir le travail. Lorsque vous apprendrez à contrôler vos réactions face à des éléments qui, auparavant, vous rendaient anxieux, vous deviendrez plus puissants. Cette puissance vous élèvera à un niveau qui vous permettra de le faire encore et encore. Finalement, vous comprendrez aussi que les événements que vous pensiez hors de la portée de votre contrôle, en fait, sont vraiment à votre portée.

Il est essentiel que vous appreniez à reconnaître ces émotions de tous les jours au moment où elles se produisent afin de pouvoir les annuler l'une après l'autre. Il est aussi essentiel que vous appreniez à reconnaître vraiment comment vous réagissez intérieurement face à ces situations qui vous rendent anxieux. Certains individus sont tellement habitués de vivre dans ces tourbillons négatifs que le fait d'en être privés les rend anxieux et mal à l'aise! La paix est un état naturel. Cependant, certains d'entre vous tendent à créer leurs propres tourbillons négatifs et à se complaire dedans afin d'attirer l'attention des autres. Si vous êtes équilibrés, vos guides vous accorderont toute l'attention souhaitée.

Ceci n'est probablement pas la réponse que vous attendiez à cette question mais, toutefois, c'est une réponse appropriée. Vous m'avez demandé comment nettoyer l'intérieur du pot et je vous ai répondu qu'il faut d'abord acquérir le contrôle du couvercle pour pouvoir l'ouvrir.

Question: À part le fait de travailler sur moi-même

personnellement, qu'est-ce que je peux faire pour aider l'humanité dans le monde?

Réponse: Cette question comporte plusieurs facettes. Pour l'heure, je traiterai uniquement de l'essentiel. Vous devez commencer avec la Terre elle-même afin de venir en aide aux hommes. Vous ne pouvez tout simplement pas augmenter le taux de vibration de la lumière sur la planète avant de vous occuper de la Terre physique d'abord. Ensuite, vous pourrez vous concentrer sur les sujets spirituels de la race humaine. Le partenariat avec la Terre dont je vous ai parlé est d'une importance critique dans le processus de votre propre croissance.

(1) Physique: Par ordre d'importance, vous devez d'abord, en tant qu'habitants de la Terre, vous appliquer à consacrer votre connaissance et votre science à freiner l'usure des importantes ressources auto-équilibrantes de la planète. Cela comporte plusieurs aspects mais le plus important à l'heure actuelle est l'atmosphère de la planète. Prenez le contrôle de la réduction des produits chimiques dans les couches élevées. Vous ne réalisez pas encore à quel point c'est important : si vous ne contrôlez pas ceci en premier lieu, votre climat changera. Si votre climat est modifié, vos zones de culture pour nourrir la population changeront et plusieurs mourront de faim en des lieux insoupçonnés. Ceci est d'une importance capitale!

Ensuite, vous <u>devez</u> vous débarrasser de vos carburants à petites particules volatiles, produits artificiellement. Ce sont les substances les plus dangereuses de la Terre. Mettez votre science à profit et cherchez un moyen de neutraliser ces matériaux meurtriers. Si vous commencez maintenant, vous recevrez vers 1999 une fenêtre d'opportunité scientifique qui vous gratifiera de bons résultats. Abandonnez l'utilisation de ces matériaux pour quelque usage que ce soit. En tant qu'êtres intelligents, pourquoi avoir développé et produit un poison que vous ne pouviez contrôler, et à peine contenir, en si grande quantité? Commencez à réfléchir de façon éclairée pour découvrir les deux sources importantes et inépuisables où l'énergie pour faire fonctionner vos villes devrait être puisée :

(a) Une quantité de chaleur illimitée se trouve directement sous les pieds de chaque homme sur la Terre... et vous comprenez déjà que chaleur égale énergie. Il ne devrait jamais être nécessaire de consumer quoi que ce soit pour obtenir de la chaleur. Apprenez comment l'exploiter et la contrôler!

(b) Découvrez l'énergie incroyable et constante du mouvement des marées dans vos régions côtières (après tout, n'est-ce pas là que se trouvent un grand nombre de villes importantes?). L'univers vous a fourni en immense quantité un mouvement de *va-et-vient*... qui n'attend que vous pour être exploité! Vous comprenez déjà les bénéfices de la puissance hydroélectrique. Cette énergie est vôtre... elle est gratuite, propre et inépuisable.

Les peuples de la Terre commencent déjà à s'occuper de ces problèmes et vous pourrez bientôt observer les résultats. D'abord, les différentes cultures seront réunies : ce projet est un promoteur de paix. La paix est un catalyseur pour l'augmentation du taux de vibration de n'importe quelle planète. Sans l'énergie et les ressources humaines investies dans la guerre et la planification de la guerre, il y a de moins en moins d'énergie de pensée consacrée à la destruction des autres. Ces séances de planification favorisent également la tolérance entre les nations... un élément essentiel pour l'illumination. Tout cela aide à <u>éliminer la négativité</u>. C'est donc une méthode du procédé de transmutation dont je vous ai parlé. De plus, vous serez surpris de voir comment votre économie de guerre peut se transformer en une économie environnementale. Plus les humains s'emploieront par tous les moyens à aider la planète, plus les récompenses seront abondantes pour les travailleurs. Votre culture est menée par ceci et moi, en tant que Kryeon, j'ai la compréhension de ces choses car je les ai observées plusieurs fois. Si vous souhaitez que votre pays prenne la tête du mouvement au cours des 11 prochaines années, alors investissez vos efforts maintenant pendant que vous le pouvez dans l'invention et la découverte environnementales... autrement, vous vous retrouverez à travailler pour les autres. Votre science est mûre maintenant pour de bonnes découvertes dans d'importants domaines environnementaux. Nous vous aiderons, mais vous devez prendre l'initiative.

(2) Spirituel: Rassemblez-vous et dégagez l'énergie de pensée positive pour la planète et pour la race humaine. Il y a beaucoup de nouveau pouvoir caché dans ce procédé mais la technique doit être comprise et implantée correctement. Dans la nouvelle énergie, vous pouvez créer beaucoup plus que la somme de l'ensemble. Lorsqu'un groupe de gens éclairés, alignés et équilibrés, sont en contact avec leurs guides, leur énergie combinée crée une puissance exponentielle équivalant au quotient d'un tiers de leur nombre. (Par exemple : un groupe de 12 personnes créerait une exponentielle de 4 : un nombre de 12 personnes divisé par 3, égale 4. Ainsi l'exponentielle serait de 12 à la quatrième puissance ou 20 736!). Vous pouvez constater qu'un nombre nominal de personnes éclairées peut créer la puissance d'un stade plein de personnes non éclairées, remplies de bonnes intentions. Voilà quelque chose de nouveau. Vous n'avez jamais eu ce genre de puissance

auparavant. Vous devez cependant comprendre comment procéder. Avec ceci en tête, pouvez-vous voir comment le peu est capable d'affecter le beaucoup?

Question: Pouvez-vous décrire un exercice physique qui permettrait d'obtenir un meilleur alignement pour recevoir de l'information?

Réponse: Ce n'est pas par hasard que la procédure pour l'alignement en vue d'une meilleure réception est la même que celle qui sert à la transmission d'énergie de la pensée. Dans ma dernière réponse, je vous ai dit à quel point il était important de comprendre et d'implanter ce procédé correctement. Je ne peux trop insister là-dessus. Ce sera une science! Les résultats seront si étonnants que vous rechercherez constamment des méthodes plus raffinées. Ce que je vais vous donner ici sont les méthodes de base. Je vous en révèlerai davantage plus tard. Cette réponse se divise en fait en deux parties: (1) pour un groupe et (2) pour un individu. Ce n'est pas tant un exercice physique qu'une procédure à suivre. Aucun exercice particulier ne vous transportera aussi près que ce qui suit.

Pour les deux procédures, je dois insister sur le fait que ces instructions sont précises et concises, et que chaque étape peut être expliquée avec beaucoup plus de détails. J'ai transmis à mon partenaire de l'information à ce sujet et, au besoin, il pourra vous en parler plus longuement si vous le désirez.

Les ingrédients de base sont (**A**) l'auto-préparation (**B**) la communication avec votre guide (**C**) la réception et/ou la transmission de l'information. Le nouveau pouvoir le plus important réside dans le second point. Vos guides sont votre clé autant pour la réception que pour la transmission. Vous ne pouvez avoir une communication avec l'univers sans eux. C'est leur but premier. Tel que décrit précédemment dans les écrits, vous transportez en vous votre entité complète de Dieu mais vous ne pouvez y avoir accès qu'à travers les guides (pages 68-71). **Pour un groupe:** Premièrement, que le but de votre rencontre soit ce travail. Une personne déséquilibrée peut sévèrement affecter la puissance du groupe. Convenez ensemble du sujet qui sera votre cible. Assurez-vous que votre sujet et votre cible soient universellement appropriés. Avec la quantité de puissance que vous maniez maintenant, vous avez beaucoup de responsabilité en cela. Désignez un meneur ou un focalisateur pour diriger le groupe à travers les étapes. Concentrez-vous sur une seule tâche à la fois... la diluer parmi d'autres tâches diluera le résultat. Ne laissez pas de détracteurs s'approcher de cette assemblée.

A: l'auto-préparation

(1) Utilisez ce que vous savez déjà et servez-vous de l'orientation du corps et de la posture pour vous mettre tous sur le même alignement à l'intérieur du groupe. Ceci n'est pas une nouvelle information et rien n'a été modifié à ce sujet. Une orientation Nord/Sud et/ou Est/Ouest serait utile mais ce n'est pas essentiel (en d'autres mots, essayez de vous situer en fonction de la grille magnétique, mais vous pouvez aussi vous faire face l'un l'autre. Utilisez une boussole à cette fin). Assurez-vous que vous êtes loin d'une source d'interférence magnétique.

(2) Utilisez une forte visualisation pour *écarter* toutes les pensées qui ne relèvent pas de l'amour universel. Si vous vous sentez déséquilibrés de quelque manière, alors retirez-vous du groupe car cela minerait les efforts de

l'ensemble.

(3) Consacrez du temps à votre auto-réalisation. Sachez que vous êtes un morceau de Dieu, voilé dans sa forme, en marche sur Terre. Visualisez-vous vous-mêmes comme les entités que vous êtes. Aimez-vous vous-mêmes... comprenez la signification du *Je suis*.

(4) Faites appel à la source d'amour pour vous *remplir* de paix. Elle viendra si vous faites appel à elle. C'est votre droit. *Voyez* votre maître ascensionné favori si cela vous assiste à entrer dans l'amour.

(5) Visualisez-vous comme une prolongation de ceux qui vous entourent. Comptez le nombre de personnes autour de vous et *voyez-les* comme une seule et même entité avec vous. Voyez votre visage sur chacun de leur corps. Sentez leur amour pour vous.

(6) Laissez votre ego s'effacer de lui-même. Comprenez combien éphémère est l'expression que vous êtes maintenant, comparativement à qui vous êtes réellement lorsque vous n'êtes pas sur Terre.

B. La communication avec votre guide

(1) Reconnaissez la présence de votre guide verbalement **à voix haute.** Faites cela individuellement, mais d'une manière audible. Dites à vos guides que vous les aimez et honorez-les pour leur travail avec vous. Ressentez leur amour. Demandez-leur de vous toucher. Laissez aller vos pleurs de joie si vous en ressentez le besoin, car c'est normal et approprié de le faire.

Cette dernière étape est très importante. Sans elle, votre travail est inutile. Comprenez le rôle de vos guides et sachez qu'il n'y a rien que vous ne pouvez créer! Vos guides sont vos portes d'accès à l'autre côté du voile. Vous serez incapables de communiquer si vous ne comprenez pas cela.

(2) Suivant la *guidance* de votre focalisateur, expliquez

brièvement à vos guides votre projet et le but que vous vous êtes fixé. N'assumez pas que les guides savent tout ce que vous faites. Les guides sont constamment sur un autre plan et ne partagent jamais votre conscience culturelle. Soyez toujours très précis dans vos explications et prenez soin de seulement leur transmettre l'information sur le résultat final que vous cherchez à atteindre et non sur la façon d'y parvenir. (3) Ensemble, demandez à vos guides de se joindre à vous. (4) Soyez silencieux et méditatifs. Accordez quelques instants pour la transition. Visualisez combien puissants vous êtes maintenant devenus.

C. Le travail

Vous pouvez faire soit (1) de la transmission soit (2) de la réception soit (3) les deux. À ce moment, tout peut arriver mais ce qui suit s'applique plus particulièrement à la transmission (la réception, cependant, suivra toujours à un certain point au cours de cette période).

(1) Laissez le focalisateur décrire verbalement et fournir une forte visualisation de l'action visée. Ceci devrait être sous la forme d'une *vision* de la tâche accomplie et non pas sur la façon dont elle doit être accomplie. En d'autres mots, *voyez* le résultat final comme si vous aviez entièrement réussi dès les premiers moments de votre travail.

(2) Avec l'aide du focalisateur, donnez à l'unisson une verbalisation sonore (à voix haute) du résultat final.

Ceci n'est pas une requête faite à l'univers à ce point! C'est une action de pensée générée dans le but de créer un résultat final. Vous devez comprendre que vous êtes en train de créer maintenant... et non en train de demander. Le focalisateur peut préparer à l'avance un texte spécifique pour ces verbalisations, afin qu'elles soient convenables et appropriées. Prenez bien soin de visualiser exactement ce que vous voulez... car c'est ce qui arrivera. Pour commencer, visualisez votre planète comme stable. Visualisez votre planète dans la paix physique, sans qu'aucun cataclysme externe ne vienne jamais la toucher. Visualisez votre planète en harmonie avec les entités qui résident sur et en elle. Visualisez et verbalisez votre planète comme équilibrée!

Seulement après vous être occupés de l'aspect physique de la planète devriez-vous être autorisés à composer avec les visualisations concernant les autres humains. C'est une priorité qu'il faut respecter et cela devrait vous en dire beaucoup sur la façon dont la spiritualité sera déterminée dans le futur.

(3) Faites ceci trois fois au total. Quel que soit votre cycle verbal, faites-le trois fois. Ce n'est pas le temps d'être timides. Sentez que ce que vous faites est de la plus haute importance. Parlez lentement, avec conviction et paix. Réalisez votre puissance. Faites ceci comme si vous ordonniez que cela soit fait.

(4) Prenez note du temps que vous avez pris pour accomplir les étapes de un à trois et prenez une période de temps équivalente pour vous plonger dans le silence total et la méditation. C'est là que vous recevrez l'information ou simplement l'énergie d'amour. Ne croyez pas qu'il serait inapproprié d'exprimer silencieusement une émotion intime à ce moment de la rencontre. Utilisez une stimulation extérieure des sens physiques qui aideraient à accroître votre sensibilité (musique, encens, éclairage, etc.).

(5) Sous la direction du focalisateur, revenez graduellement à votre point de départ.

Ce processus ne devrait pas prendre plus d'une

heure de votre temps. Une rencontre comme celle-là, avec le même objectif, devrait être répétée pour permettre à d'autres alignements universels de faire leur travail. Si vous êtes équilibrés, la petite planète qui rétrograde ne devrait pas interférer dans cette communication, mais les aspects planétaires plus importants le feront... alors, répétez l'expérience.

Pour soi : Vous pouvez tous obtenir le même genre de communication à un niveau individuel ainsi qu'une meilleure centration en suivant ces étapes. En fait, cela vous est nécessaire pour profiter d'une vie paisible et abondante. Utilisez toujours les mêmes principaux ingrédients (**A**) l'auto-préparation (**B**) la communication avec votre guide (**C**) la réception et la transmission de l'information. Verbalisez tout! Communiquez clairement à vos guides le résultat final que vous désirez obtenir, et vous l'obtiendrez. Utilisez les mêmes règles et principes énumérés précédemment, mais évidemment sans focalisateur.

J'ai demandé à mon partenaire de vous parler davantage de la communication personnelle avec vos guides à partir d'une perspective humaine, à la fin de ce livre, car il acquiert de l'expérience en ce domaine. C'est ce qui rend ces écrits différents et spéciaux pour plusieurs d'entre vous. Je suis Kryeon de service magnétique et je m'exprime à travers un humain de service métaphysique limité. Ce partenariat vous apporte un livre simple avec des vérités écrites d'une manière pratique. Bien sûr, il y a beaucoup, beaucoup plus à apprendre sur le fonctionnement de l'univers... mais, pour l'heure, il vous faut comprendre la base de cette nouvelle énergie rapportée de cette façon. (S'il-vous-plaît, voir le chapitre 7).

Question : Qui serait le meilleur président en fonction d'une base d'amour et qui préconiserait l'holisme plutôt que le séparatisme? (Notez que cette question a été posée en juillet 1992 - Les candidats à la présidence des États-Unis sont George Bush, Bill Clinton et, possiblement, Ross Perot).

Réponse : Le Kryeon voit l'humanité et les individus comme des groupes représentant des fenêtres d'opportunités. Tel que mentionné précédemment, le futur vous appartient et aucune entité ne peut vous dire ce qui arrivera.

Votre gouvernement aujourd'hui se trouve dans une situation ironique, mais appropriée. Vous avez instauré des règles qui permettent un maximum de tolérance au sein du leadership de votre groupe culturel. Cela a pour effet qu'aucun penchant spirituel ou religieux n'intervient dans votre structure du pouvoir. En comparant votre situation à celles d'autres cultures qui se sont donné des gouvernements idéalistes qui imposaient une doctrine religieuse, vous devez être soulagés de voir que votre façon de faire est la bonne. La tolérance est un élément-clé à la lumière.

Ceci crée également, cependant, une situation où un séparatiste pourrait être un choix approprié de leader, puisqu'une telle personne suit les règles établies de la philosophie de votre gouvernement par rapport à ce qui est correct. Pour répondre précisément à votre question à savoir qui donnerait les meilleures garanties de gouverner dans l'amour, qui serait un président holistique, je dirais James Carter. Malheureusement, vous avez déjà constaté l'inefficacité de ce choix (sans mentionner qu'il n'est même pas candidat). La fenêtre d'opportunité de cet homme était davantage pour lui personnellement que pour le pays, mais cela vous a permis de voir un leader holistique évoluer dans une arène qui n'était pas encore prête. *

Votre bureau présidentiel n'est pas encore prêt à recevoir un leader holistique... mais il le sera au moment de votre prochain choix. Beaucoup de choses vont changer avant que vous ne choisissiez encore une fois votre chef, et certains de ces changements exigeront que vous choisissiez un homme qui puisse aider le peuple de votre pays en-dehors des aspects politiques. Ceci fera ressortir les attributs d'holisme et d'amour qui peuvent être mis de l'avant sans aller à l'encontre des principes séparatistes qui, présentement, empêchent tout cela de se produire.

Aucun de vos candidats actuels ne se présente sur une base d'amour ou une base holistique. Ils sont tous séparatistes, comme prévu dans le pays. Selon moi, c'est votre leader actuel qui a la plus grande fenêtre d'opportunité pour demeurer au pouvoir (mais son entourage pourrait en décider autrement). Toutefois, si tel est le cas, il aura un très grand défi personnel à relever au cours de cette période, auquel il n'aurait pas à faire face autrement, qui pourrait être dangereux. À noter également : ne trouvez-vous pas étrange que le troisième candidat se soit présenté seulement après l'arrivée de la nouvelle énergie en janvier 1992? Que devriez-vous faire avec cela? Rappelez-vous que la nouvelle énergie signifie un immense changement dans le pouvoir de l'individu, ce qui lui permettra de faire des changements dans le monde. La nouvelle énergie repré-

---

* (Il est intéressant de constater que depuis quelques années Jimmy Carter a souvent œuvré à titre d'envoyé spécial dans différentes situations de conflit international. Aujourd'hui, il travaille auprès de plusieurs organismes communautaires, par exemple, dans la construction d'habitat à prix modique pour les plus démunis NdÉ)

sente une ère de responsabilité personnelle pour le futur. L'entrée en lice de ce candidat est significative, dans le sens où elle s'inscrit directement dans ce courant. Alors qu'il convient à plusieurs de laisser les autres décider à leur place, il y en a d'autres qui commencent à réaliser qu'ils peuvent contrôler leur propre destinée... comme on vous propose de le faire à partir de maintenant.

J'ai répondu aux huit questions mises de l'avant par le groupe des 14. Ces questions étaient toutes très appropriées pour votre temps et leurs réponses devraient être étudiées par tous, non seulement par ceux qui ont posé les questions. Je n'ai jamais l'intention d'être vague ou confus lorsque je vous transmets des informations. Si quoi que ce soit vous semblait imprécis dans ces lignes, de grâce rappelez-vous que votre futur n'est pas déterminé. Vous ne pouvez obtenir des réponses sur ce qui pourrait arriver, mais des instructions peuvent être partagées pour vous assister à créer ce qui arrivera. Prenez conscience de votre pouvoir et créez votre avenir en conséquence.

Vous êtes tous tendrement aimés!

Kryeon

Je suis Kryeon à votre service,
à vous qui êtes en leçon.
Vous êtes les *exaltés*.
Vous êtes ceux qui ont choisi de venir et de mourir
plusieurs fois pour le bénéfice de votre planète
et pour se conformer au plan universel des choses.
Pour cette raison, nous vous honorons en respect
et nous vous aimons sans limites.

CINQ

Guérison et maladie

Le début de l'enseignement sur la transmutation

Il ne serait pas correct à l'échelle universelle que moi, Kryeon, je vous fournisse les réponses aux questions qui n'ont pas encore obtenu une fenêtre de présentation appropriée. En tant qu'élèves, vous pouvez ainsi juger de la sagesse du maître qui ne vous fournit pas simplement les réponses aux examens, mais fait plutôt en sorte que vous appreniez vos leçons et ensuite que vous trouviez vos propres réponses. Vous agissez de la même manière envers vos jeunes sur la Terre.

Je sais par contre que vous comprenez très bien que toutes les inventions, les découvertes de la nature et même ce qui semble tellement relever du hasard comme la découverte des anciennes civilisations de l'histoire... tout vous est *fourni* par l'univers. Je suis certain que vous avez tous remarqué que l'information scientifique est souvent présentée sous forme d'éclaircissement et de découverte à plusieurs endroits de la planète en même temps. Ceci revient à dire que, bien qu'il semble que l'idée soit venue d'un seul homme... l'information a été donnée à plusieurs individus en même temps et que celui qui en reçoit le crédit est le premier à avoir suivi son intuition et à l'avoir présentée au monde en reliant cette nouvelle information à l'information passée pour créer une nouvelle science. Notez que toute information scientifique vient d'abord de la présentation spirituelle des idées au bon moment et, comme je viens tout juste de le mentionner, le crédit est accordé à ceux qui ont la plus grande intuition ou la meilleure conscience spirituelle pour la réception de l'information. Ne confondez pas cela avec l'information transmise seulement aux âmes éclairées. Plusieurs d'entre vous ont une merveilleuse conscience sans être beaucoup éclairés sur la question spirituelle (une bonne intuition sans connaissance spirituelle).

Ce que je vais vous dire maintenant est relié à la maladie sur la Terre. Je vais traiter le sujet en général sans préciser aucune sorte de maladie. L'information toutefois arrive au bon moment et elle est appropriée. Je veux dire qu'il est juste pour certains d'entre vous d'apprendre cela maintenant et que l'information est transmise par d'autres que Kryeon en ce moment. *Cela nécessitera du travail et de la recherche pour mettre l'information en pratique mais les éléments de base sont là.*

Les organismes vivants provoquant la maladie sont faits de très petites particules d'éléments qui se répètent. Ces particules s'associent avec symétrie et se mettent en place pour produire un système destiné à se perpétuer lui-même; et spécifiquement, pour se greffer à l'organisme humain au moment approprié et créer ainsi un déséquilibre éventuel et souvent causer la mort. Je vous ai déjà parlé que ceci est universellement approprié. Je vous ai parlé aussi de la façon dont l'empreinte karmique et les implants réagissent à la maladie. Sachez toutefois qu'il ne s'agit pas d'erreurs dans le plan universel mais plutôt de mécanismes très importants et justes pour une interaction complexe de vos expressions sur la planète.

À l'intérieur de la symétrie de ces particules répétitives qui constituent l'ensemble de l'organisme de la maladie, il y a des parties spécifiques qui sont spéciales. Ces parties ont des extensions et des dépressions qui *recherchent* les extensions et les dépressions correspondantes dans les systèmes similaires du corps humain. Comme une clé meurtrière qui s'adapte parfaitement à la forme de la serrure, les extensions et dépressions de l'organisme de la maladie s'imbriquent dans l'organisme humain. La maladie s'installe et commence à se développer. En tant qu'humains éclairés, si vous y prêtez attention maintenant et que vous êtes capables de vraiment comprendre ce que je vous explique ici, vous saurez comment votre empreinte karmique s'applique au niveau cellulaire... car la forme des extensions et des dépressions de plusieurs de vos systèmes biologiques ressemble à une serrure... prête à recevoir une *clé* pour l'organisme de la maladie... ou non. Un implant approprié peut modifier votre serrure cependant, et annuler l'habileté de la *clé* à l'ouvrir... et la guérison et l'équilibre surviendront. Voyez votre implant par conséquent comme une *serrure sécuritaire* contre la maladie.

La plupart d'entre vous arrivent avec une empreinte susceptible de permettre la maladie. C'est toujours votre implant karmique qui corrige cette situation. Cela fait simplement partie de l'ensemble du karma humain relié à la Terre. Plusieurs d'entre vous reçoivent différents implants à la naissance qui leur permettent de ne pas être soumis aux paramètres généraux de l'empreinte... (c'est pourquoi certains humains contractent la maladie... et d'autres pas).

Cela ne relève pas de la science humaine de pouvoir un jour changer l'empreinte. Cela ne sera tout simplement jamais de votre pouvoir car il ne s'agit pas d'un procédé biologique. Par conséquent, il y a logiquement seulement deux solutions qui vous aideraient. (1) Par rapport à vous personnellement... un changement dans votre implant qui viendrait de l'univers, tel que décrit dans les chapitres précédents, et (2) par rapport à la planète... une méthode d'altérer la maladie de sorte que la *clé* serait modifiée et qu'elle ne pourrait plus s'adapter à aucun système humain.

Sachez ceci : Même après que la clé ait pénétré dans la serrure, il n'est pas trop tard pour changer les choses. Ceci parce que (1) la clé donne constamment naissance à de nouvelles clés qui continuent à s'adapter à d'autres serrures dans le corps humain et (2) la clé ne se trouve <u>jamais dans la serrure en permanence.</u> La maladie est un <u>état de déséquilibre anormal.</u> Pour se maintenir dans cette situation, même les clés et les serrures apparentées doivent continuer à s'interroger l'une et l'autre pour déterminer si elles sont toujours compatibles. Si vous comprenez ce que cela signifie, vous comprendrez alors comment fonctionne le processus de guérison... même lorsqu'il est *trop tard.* Je préciserai davantage ce point un peu plus tard dans ce livre de même que le fonctionnement du mécanisme de répétition des éléments qui composent l'organisme de la maladie.

GUÉRIR DANS LA NOUVELLE ÉNERGIE

Dans la nouvelle énergie, vous avez le pouvoir de guérir comme jamais auparavant. C'est ainsi: Lorsque vous êtes dans l'équilibre et dans l'amour et que vous entrez en contact avec une entité humaine déséquilibrée réceptive à votre pouvoir, vous avez alors la possibilité de l'approcher et de *l'interroger spirituellement* (c'est le processus de la guérison). La liaison s'établit alors et, dans cet instant, l'un interroge spirituellement son vis-à-vis à un niveau élevé (le plus haut niveau possible). La question suivante est posée d'une âme à une autre : **«Est-il universellement approprié en ce moment que votre empreinte soit modifiée en vue de changer la configuration de vos serrures? Si oui, il vous est permis d'utiliser le pouvoir de la source d'Amour pour changer votre karma et répondre positivement à cette interrogation en vous guérissant vous-mêmes.»** Notez que l'entité interrogée reçoit grâce au pouvoir de l'entité équilibrée la permission de se guérir elle-même. Le pouvoir de l'entité équilibrée n'est pas en fait utilisé pour guérir : il sert de catalyseur ou d'incitateur pour permettre à l'autre d'aller de l'avant. Cela est important et j'espère que vous, en tant que lecteurs, en comprenez bien le sens en ce moment.

Vous vous demandez peut-être : Comment des humains déséquilibrés pourraient-ils répondre *non* lorsqu'on leur offre la possibilité d'utiliser leur pouvoir intérieur pour se guérir eux-mêmes? C'est là où la sagesse universelle du bon moment entre en jeu... tel que décrit dans les écrits précédents - où chacun de nous, en tant qu'âme toute-puissante, décidons des leçons que nous aurons à vivre collectivement avant de nous incarner dans une expression sur la Terre. En tant que *morceau de Dieu*, nous utilisons la source d'amour pour décider qu'elle devrait être l'empreinte qui nous sera donnée pour vivre les expériences nécessaires qui à leur tour élèveront les vibrations de la Terre. Dans une prochaine communication, je vous décrirai la différence qui existe entre le concept bien mal compris de la *prédestination* et ce qui se passe en réalité ici-bas. Bien que vous ne puissiez comprendre réellement le procédé de tout cela, vous êtes tout de même parfaitement capables de saisir l'intention de la vérité, et ce qui **ne se produit pas** ici. Cela est important pour ceux d'entre vous qui ont de la difficulté à comprendre jusqu'à quel point chacun a personnellement le contrôle de son propre destin sur la Terre.

Si une âme sent qu'elle n'a pas encore tiré profit de la leçon, elle refusera alors la possibilité d'utiliser la source pour annuler la maladie. Un *refus* ne porte pas atteinte à l'homme équilibré. Votre concept de *guérison* doit maintenant changer pour s'adapter au nouveau concept *d'autorisation de guérir*. Lorsque l'autorisation est acceptée ou refusée, le processus de guérison est alors terminé (jusqu'à la prochaine fois). Vous vous demandez également peut-être : Pourquoi une entité humaine malade a-t-elle besoin d'une autorisation de la sorte? Pourquoi ne pas agir tout simplement?... Si on n'a plus besoin du karma, pourquoi ne pas utiliser le pouvoir et guérir? La réponse est simple : Rappelez-vous que l'entité humaine qui est malade est déséquilibrée. Tout déséquilibre affecte l'ensemble de l'être. Cela revient à dire que vous ne pouvez avoir une seule des trois composantes qui soit déséquilibrée. Les désordres physiques affecteront le mental et l'esprit d'une manière qui souvent rendra la communication avec le plan spirituel impossible. C'est pourquoi tant d'humains contractent la maladie et meurent sans espoir. Lorsque la maladie s'installe, il n'y a souvent plus aucune véritable communication spirituelle. Ironiquement pour vous sur Terre, lorsqu'une personne malade sait qu'elle va bientôt mourir, on constate souvent un immense effort de réconciliation spirituelle et d'équilibre. Mais l'un ne va pas sans l'autre : une véritable communication de guérison demande un équilibre spirituel... ce qui n'est pas le cas chez une personne qui se meurt d'un mal physique. C'est pourquoi les guérisseurs équilibrés sont si importants sur la planète... pour aider ceux qui ne peuvent pas *passer à travers*... à cause de la maladie. Croyez-vous que vous ne pouvez faire une différence? Même votre présence dans une pièce où se trouve une personne physiquement malade peut aider... Croyez-moi! Ne tournez jamais le dos à une occasion comme celle-là. Même si vous croyez que cela ne sert à rien et que vous ne voyez aucun résultat... il y a du travail qui s'accomplit.

Soyez conscients en outre que les leçons de vie et le karma sont souvent à l'oeuvre ici pour empêcher la guérison, et c'est là le sujet de cette communication, car dans plusieurs cas il est opportun de prolonger la souffrance pendant un certain temps de sorte que la réponse à l'interrogation de guérison à l'âme sera *non*. Dans d'autres cas, il sera opportun de mettre fin à la souffrance. Faites votre travail et passez à autre chose. Ne croyez pas que vous avez échoué si la personne ne répond pas... rappelez-vous plutôt que, même si un nombre de personnes ne répondront pas, il y aura en nombre égal ceux qui répondront... et que c'est là où vous arriverez à changer l'énergie de la planète.

Un guérisseur dans la nouvelle énergie *intervient* donc dans le processus passé et donne l'autorisation à la personne déséquilibrée de puiser dans la source d'amour la force requise pour rétablir son équilibre interne. Si cela est juste et si le moment est approprié, les êtres déséquilibrés pourront se guérir eux-mêmes. La bonne nouvelle ici c'est que, dans les années à venir, vous serez capables de guérir plusieurs personnes (de leur donner l'autorisation de s'équilibrer eux-mêmes) qui autrement devraient mourir et revenir sur Terre par la suite. **Cela fait partie du processus de la transmutation d'énergie dont je vous ai parlé...** car la différence que vous créerez en offrant à ces personnes ce *raccourci* accélérera en lui-même le rythme de l'ensemble, transmutant ainsi l'énergie négative qui accompagne toujours la mort humaine sous forme de chagrin, de traumatisme émotionnel et d'intense interaction karmique... sans compter le temps qu'il faudra pour de nouveau revenir, grandir et remplir les exigences de la prochaine expression. Voyez-vous comment cela se produit? L'énergie négative qui aurait pris place dans le futur est effacée... et ne se développera jamais; l'énergie positive peut alors continuer à grandir sans être *retenue*. Dans l'astral, le futur c'est maintenant... par conséquent la guérison aura des résultats positifs planétaires maintenant. Si vous avez de la difficulté à comprendre cela, pensez à l'énergie qui se trouve en réserve dans une pile électrique. Cette énergie est emmagasinée pour le futur... pour un événement futur... mais elle est positive. C'est de l'énergie réelle qui est là maintenant sous forme d'électricité à l'intérieur de la pile. Elle est là présentement, même si elle aura aussi un impact futur lorsqu'elle sera finalement utilisée.

Il y a des gens avec des corps malades qui attendent actuellement que vous arriviez et que vous interveniez... et leur âme répondra *oui... OUI...* croyez-moi! Pouvez-vous penser à une meilleure façon d'utiliser la source d'amour que celle-là?

Changer l'organisme de la maladie

Je vous ai parlé du mécanisme de fonctionnement symétrique des éléments répétitifs qui
constituent l'organisme de la maladie. Comme je vous ai
déjà prévenus, le Kryeon ne peut vous fournir des
réponses que vous devez travailler à obtenir; parfois
cependant certaines réponses sont volontairement
données pour être méditées et étudiées, en cela elles
sont métaphoriques. Je ne cherche toutefois jamais à
être évasif ni à exercer une pression sur vous, ni encore
à vous amener à agir à partir d'une mauvaise
information... car je vous aime beaucoup et je respecte
votre âme tout comme je respecte la source d'amour
elle-même.

À l'intérieur de la symétrie des minuscules
éléments répétitifs qui composent l'ensemble de
l'organisme de la maladie, il y a seulement quelques
éléments qui forment la *clé* tel que décrit auparavant.
Ces éléments ont des propriétés très spéciales. Non
seulement sont-ils les seuls qui ont des extensions et des
dépressions qui *recherchent* des structures apparentées
au niveau cellulaire, mais ils sont **sensibles à
l'interférence magnétique**. À l'intérieur de la trame des
éléments répétitifs, les forces magnétiques sont très
précises. Cela ne saurait certes pas vous surprendre si
vous avez suivi les écrits de Kryeon. Le véritable but de
ma présence ici est de modifier les attributs magnétiques
dans lesquels vous avez vécu pendant toute votre vie de
sorte que vous puissiez profiter d'un plus grand pouvoir.
Je parle d'une vraie mise au point de votre spiritualité
au niveau cellulaire.

Pour réussir, vous devez (1) découvrir la
séquence des éléments, (2) identifier les éléments en

question et (3) les changer magnétiquement. Soyez conscients qu'une projection générale de l'énergie magnétique effectuée au hasard <u>ne donnera rien</u>, car toutes les propriétés changeront dans une proportion identique... conservant l'équilibre de l'une en rapport à l'autre, même si la polarité de l'ensemble sera modifiée... la clé restera inchangée. Vous devez changer <u>l'équilibre entre les éléments</u> eux-mêmes à l'intérieur de la séquence. Ce sera comme si vous preniez une clé et que vous faisiez disparaître la dépression... de sorte que le clé <u>ne correspondra plus à la serrure</u>.

Après avoir accompli cela... appliquez la même méthode aux autres problèmes environnementaux de la Terre... particulièrement au problème de vos déchets nucléaires. <u>Des éléments instables peuvent être</u> <u>complètement neutralisés</u>. Il n'est pas nécessaire que cette matière volatile existe avec vous sur la planète. Bien que ce ne soit pas biologique, cela démontre aussi un déséquilibre dans la nature et une grande partie de cela n'est pas produit naturellement. En utilisant les mêmes méthodes de <u>l'intervention et la repolarisation</u> <u>des particules magnétiques spécifiques</u>, vous serez capables de réussir. Votre technologie future vous permettra de le faire... lorsque vous aurez découvert les mécanismes de fonctionnement, vous serez capables de procéder à la modification des particules sur une grande échelle. Vous avez mérité cela!

Je suis Kryeon de service magnétique.
Vous êtes tous tendrement aimés!

Il n'y a pas de plus grand nouveau pouvoir
que celui de la verbalisation et de la visualisation.

Ces deux forces combinées créeront un objectif et
une substance où auparavant il n'y avait
que négativité et ténèbres.

Sachant cela, comment pouvez-vous
rester à ne rien faire?

SIX

Jésus-Christ

Le Christ métaphysique

Dans ce chapitre, vous lirez un bref exposé sur la vision métaphysique de Jésus-Christ, ainsi qu'un aperçu de ce que croient les métaphysiciens. Cet enseignement a été communiqué par channelling, (sous la responsabilité de l'esprit divin) dans le sens le plus pur de l'amour, par l'entité «Kryeon». Ce fut la première transmission par channelling. La pensée de Kryeon est ici rapportée selon la perspective de l'auteur, contrairement à ce que vous avez lu jusqu'à maintenant alors que Kryeon parlait à la première personne dans une communication directe.

Ce chapitre n'a pas pour but de convaincre, défendre ou alimenter de quelque manière une cause ou un système de croyances. Si vous n'êtes pas d'accord avec ce qui est rapporté ici, ou si vous êtes mal à l'aise en lisant ces visions, nous vous suggérons d'arrêter votre lecture et de revenir à ce qui vous convient mieux. Toutefois, si vous choisissez de la poursuivre, cette information pourrait vous servir.

Dans le monde occidental (désigné comme le *premier monde*), qui comprend dans son ensemble les Amériques et la majeure partie de l'Europe, Jésus-Christ est probablement l'un des noms les plus connus. Pour plusieurs, le nom Jésus représente une immens
e joie personnelle et il serait difficile de parler de Lui, ou de discuter de Lui, sans susciter des émotions et des sentiments très forts. Cela est comme il se doit.

La plupart d'entre nous, dans le premier monde, avons entendu parler de Jésus dès le moment où nous avons été suffisamment âgés pour comprendre. Peu importe que vous soyez chrétiens ou non, vous connaissiez Jésus. Le poème *Une vie solitaire* indique que personne d'autre lors de son passage sur la Terre n'a eu, et de loin, autant d'impact que Lui.

Dans le premier monde, Noël est, en outre, une période très spéciale dans l'année; elle est attendue de tous. Les juifs, ou les adeptes de tout autre religion non chrétienne, doivent vraiment s'isoler de la masse pour passer à côté; presque tout le monde en est bombardé. Ceci fait de la naissance de Jésus l'événement spécial le plus publicisé de l'année. Alors que les juifs croient pour leur part que le Messie n'est pas encore venu, mais qu'Il viendra dans le futur, les chrétiens sont non seulement convaincus qu'Il est venu sur la Terre, mais qu'Il est mort pour racheter les péchés du monde... et qu'Il reviendra sur Terre pour instaurer un nouvel ordre mondial.

Malheureusement, au cours des 2 000 dernières années, des centaines de sectes chrétiennes se sont développées, enseignant chacune leurs propres conceptions de ce que Jésus a dit et voulu dire, et ce que doit être la vie d'un vrai croyant. En général, chaque secte croit que sa propre doctrine est la bonne et chacune a sa propre vérification spirituelle pour prouver ce qu'elle avance. Certaines doctrines mettent l'emphase sur la vénération de Jésus et de sa Mère. D'autres, sur ce qu'elles considèrent comme des informations privilégiées, révélées à des élus lors de cérémonies secrètes, que seuls les croyants peuvent connaître. D'autres croient qu'il faut *s'enrôler*, l'engager et se joindre à un groupe pour être un croyant... alors que d'autres soutiennent qu'il suffit seulement d'accepter Jésus dans son cœur. Certains croient que les prophètes qui sont venus il y a deux mille ans étaient les seuls vrais prophètes, alors que d'autres croient que l'Église a encore de vrais prophètes. Une ou deux doctrines soutiennent qu'il faut avoir un chef pour tous les chrétiens avec une autorité suprême... alors que les autres estiment que des leaders locaux suffisent. Certains pensent que seuls les êtres privilégiés peuvent communiquer avec Jésus et que le commun des mortels doit passer par eux pour s'adresser à Lui, se confessant de leurs fautes à cette catégorie d'êtres privilégiés qui peuvent parler à Dieu... et dont les femmes ne pourront jamais faire partie. D'autres croient que tout homme peut *s'adresser* à Jésus directement. Certains croient que seulement une poignée d'hommes seront choisis pour être avec Lui à la fin du monde... et, bien sûr, ces hommes proviendront de leur secte. D'autres croient qu'un peu moins de 200 000 âmes seront sélectionnées pour être avec Lui à la fin du monde... et, une fois de plus, ces hommes seront choisis parmi les leurs. D'autres encore soutiennent que quiconque croit *de la bonne manière* peut y parvenir... ils se sont alors mis à dicter cette *bonne manière*. Certains disent que, pour être un leader spirituel, il faut renoncer au mariage... d'autres soutiennent que cela n'a pas d'importance. Certains disent qu'on ne peut pas à la fois vivre dans une société occidentale ou posséder quelque argent et être un leader... d'autres estiment que cela n'a pas d'importance. Certains insistent sur le fait qu'il faut croire que la naissance de Jésus est un miracle pour pouvoir Le vénérer (sinon Il n'écoutera pas)... d'autres soutiennent que cela n'a pas d'importance... que n'importe qui peut Le vénérer (et qu'Il sera attentif à toute prière).

La signification de plusieurs écrits originaux a été vérifiée par les manuscrits de la Mer morte découverts récemment. Ces documents de très grande importance sont toutefois demeurés difficiles d'accès pendant 50 ans, et seulement certains savants d'un certain groupe ont été autorisés à les étudier. Une poignée d'individus contrôle toujours qui peut y avoir accès (mais ceci est appelé à changer prochainement et des révélations étonnantes seront dévoilées).

Il était courant d'être en désaccord au sujet de Jésus et de ce que l'homme devait faire de Ses enseignements. Presque sans exception, cependant, tout le monde croyait que Jésus était la représentation de l'essence de l'amour de Dieu. Il était l'amour et Il était venu sur Terre de façon très spéciale, comme un être surnaturel, pour enseigner. Personne de ceux qui croyaient à la venue de Jésus sur la Terre n'a fait exception à cette règle. Cependant, on a si intensément débattu de ce qu'il fallait faire avec la connaissance, et à quel groupe il fallait se joindre que plusieurs guerres dites Saintes ont été livrées au nom de Jésus et plusieurs êtres innocents ont été tués parce qu'ils s'étaient alliés à des non-croyants reconnus comme tels. Même aujourd'hui il faut être très prudent dans certains pays anglais d'Europe lorsqu'on vous demande à laquelle des deux sectes chrétiennes vous devriez appartenir... une mauvaise réponse pourrait vous faire du tort.

Expliquer cela à un visiteur qui arrive tout juste d'une autre planète pourrait être difficile (en fait, expliquer n'importe quoi à un visiteur de l'espace pourrait être difficile!) Cela ne veut pas dire que nous aurons à expliquer cela à un visiteur de l'espace... mais juste à titre d'exemple... dans le cas où ce visiteur serait en fait un connaisseur de l'histoire et de la culture de la Terre, comme des événements actuels, il pourrait être difficile de justifier l'importance de Jésus. Le visiteur pourrait souligner le fait que la **majorité de la population humaine** de la Terre adore un ou deux autres êtres *surnaturels* et que, bien qu'il y ait plusieurs religions représentées ici, il y a une bien meilleure unification dans la manière d'adorer Dieu. Des millions d'hommes s'unissent pour prier, ils adressent leurs remerciements à Dieu et vivent leur vie sans rien savoir de Jésus... Et ce qui est le plus embarrassant pour les disciples de Jésus, c'est que ces gens vivent leurs croyances d'une manière fort impressionnante. Passez quelque temps avec une personne du tiers-monde au Moyen-Orient et voyez quelle importance elle accorde à son culte... ou quels sacrifices elle s'impose. Passez quelque temps avec un Asiatique et observez la même chose... puis avec un croyant chrétien du premier monde industrialisé. La comparaison suscitera en vous de profondes interrogations sur la foi.

Bien sûr, si vous questionnez un leader chrétien à ce sujet, il vous dira que tous les autres (la plus grande partie de la population de la Terre) sont dans l'erreur. Ce sont des païens et, parce qu'ils ne connaissent pas Jésus... ce sont des âmes perdues. C'est aux chrétiens de leur apporter la Bonne nouvelle (au sujet de Jésus). On a enseigné aux chrétiens que Dieu a choisi Jésus pour venir sur la Terre et parler exclusivement à un groupe très sélect de Caucasiens d'Europe qui vivaient dans une région que nous appelons aujourd'hui le Moyen-Orient... Ce groupe (ou ceux dans le groupe qui ont cru en Lui) a été chargé de répandre Ses enseignements aux 4 milliards d'autres hommes partout à travers le monde au cours des siècles qui précéderaient son retour sur la Terre.

Le plus ironique dans tout cela, c'est que les autres hommes qui ne *connaissent* pas Jésus adorent leurs propres êtres surnaturels en s'appuyant sur certaines prémisses qui sont les mêmes que celles utilisées par les chrétiens dans leur culte de Jésus... En fait (et c'est incroyable) l'enseignement de certaines *Écritures* de ces croyants païens est pratiquement le même que celui de la Sainte Bible! Le principe et l'intention de la majeure partie du sermon sur la montagne et des commandements classiques de l'Ancien testament sont clairement traités dans tous les autres Écrits du monde... Certains enseignements se lisent comme s'ils étaient directement tirés des Écritures chrétiennes... mais d'autres ont été écrits très longtemps avant que Jésus ne vienne sur Terre... et d'autres encore au cours des années de la vie cachée de Jésus... Le plus étrange dans tout cela, c'est que les autres hommes de la Terre croient aussi que leurs maîtres étaient la représentation de l'essence de l'amour de Dieu et qu'ils étaient des êtres surnaturels venus miraculeusement sur la Terre pour enseigner et faire des choses extraordinaires (tout comme les chrétiens le croient à propos de Jésus). En passant, si vous vous informez auprès de ces autres gens, ils vous diront que les chrétiens sont des païens!... et des *non-croyants*. (Prenez garde en outre d'écrire un livre qui irait à l'encontre de leurs convictions... ils pourraient vous pourchasser et vous tuer).

La croyance métaphysique veut que Jésus-Christ soit l'un des plus grands maîtres ascensionnés qui ait jamais visité la Terre. Il est venu pour nous apporter la vérité, l'amour et nous fournir un exemple de vie. Lors de son passage sur Terre, plusieurs ont écrit ce qu'Il a fait, nous léguant un extraordinaire compte rendu de Son séjour parmi nous. Après son départ, plusieurs ont *canalisé* Ses enseignements à partir de l'Esprit (qu'on appelle l'Esprit-Saint), dans la vérité... et l'amour. Certaines de ces communications sont comprises dans les livres du Nouveau Testament; elles ont été traduites et retraduites plusieurs fois et transmises à travers les générations depuis 2 000 ans. Les métaphysiciens croient aussi que d'autres maîtres, peut-être aussi puissants... peut-être même Jésus Lui-même... se présentant comme d'autres maîtres, ont visité d'autres régions culturelles de la Terre où les habitants avaient besoin de voir des êtres qui leur ressemblaient physiquement. Lors de chaque visite, il/ils ont apporté à peu de choses près le même message d'amour universel. (Certains croient même que Jésus n'est pas mort et qu'Il a continué à enseigner après avoir quitté le Moyen-Orient.)

Les chrétiens vous diront que, puisque les écrits (communication par channelling) sont souvent confus, il faut faire confiance à l'Esprit Saint (*l'Esprit*) pour avoir la sagesse nécessaire pour comprendre le message. Pour le métaphysicien, ceci revient à dire tout simplement que le même Esprit inspirera les écrits et dévoilera leur signification. Sur ce point également, la plupart des dirigeants religieux en place ne peuvent s'entendre sur ce que révèle l'Esprit, ou encore pour déterminer qui est qualifié pour écouter! Ceci nous amène à constater la très grande fragmentation de l'organisation des disciples de Jésus.

Pour le métaphysicien, ce qu'il y a de plus malheureux dans l'histoire de la venue de Jésus sur Terre est ce que les hommes au pouvoir en ont fait. Les paroles de Jésus ont été traduites et interprétées de façon à abaisser et détruire l'esprit et la volonté de l'homme. On a dit par exemple que : «l'homme est indigne»... «il est né dans le péché»... «personne ne peut atteindre la perfection»... «il n'y a rien que l'homme puisse faire par lui-même pour s'élever au-dessus de sa condition»... «l'esprit de l'homme est pécheur»... «vous êtes nés avec l'héritage d'aller en enfer après la mort»... «puisque vous ne pouvez rien faire de valable, vous devez vous en remettre entièrement à une autorité supérieure»... «si tout se passe bien pour vous, cela ne relève en rien de vous». Les chrétiens apprennent très tôt qu'il faut offrir sa vie à Jésus pour s'élever au-dessus de cette fange, c'est-à-dire de sa propre indignité humaine. On a raconté que les hommes avaient tué le Fils de Dieu. Les chrétiens enseignent que l'homme <u>doit</u> éprouver de la culpabilité et que Dieu <u>apprécie</u> son repentir. Par la suite, Dieu lui accordera son pardon. La métaphore de Jésus étant le berger et les hommes, ses moutons, est répétée encore et encore dans les écrits (comme vous le savez, on ne s'attend pas à ce que des moutons pensent par eux-mêmes).

Ce concept est le plus grand fossé qui sépare la croyance du Jésus métaphysique et du Jésus des chrétiens. Les métaphysiciens ne croient pas du tout que Jésus a voulu cela. Ils ne croient pas que Jésus voulait être adoré en tant que Divinité non plus. Ses paroles ont un tout autre sens pour ceux qui embrassent la nouvelle croyance *universelle*, et le récit de Sa mort n'a pas non plus la même signification. Les métaphysiciens croient que chaque être humain est né avec une base spirituelle et possède en lui toute la puissance de Dieu, n'attendant que le moment de servir dans un contexte spirituel. Ils croient aussi que chaque être est responsable de sa propre vie et de son propre pouvoir. Lorsque vous remettez votre vie à Dieu, cela ne signifie pas que vous en perdez le contrôle, mais plutôt que vous le <u>prenez bien en main</u> en vous servant des enseignements de Jésus (et des autres maîtres) pour vous guider et profiter du pouvoir qui a toujours été vôtre à travers les temps. Jésus n'est pas venu pour faire de nous des moutons. Il est venu nous enseigner comment éveiller le berger qui sommeille en chacun de nous! C'est ce qui s'appelle *prendre le contrôle de son pouvoir*.

Les métaphysiciens sont concernés par **l'ici et maintenant** (même s'il y a souvent une publicité tapageuse sur les à-côtés de moindre importance tels les vies passées, les OVNIS et les phénomènes psychiques). Le vrai métaphysicien se préoccupe de l'amélioration du soi par l'étude de l'utilisation des lois universelles enseignées par Jésus (et les autres) pour s'élever à un niveau plus élevé de conscience pendant son séjour sur la Terre... en d'autres mots, ils croient qu'ils peuvent profiter d'une meilleure vie, avoir la paix, la santé et la joie sur Terre, en puisant dans la puissance de Dieu, laquelle est disponible pour **tous** (tel qu'enseigné par Jésus). Ce faisant, ils aident à élever le niveau de conscience de la planète par la prière... le véritable but de notre séjour sur la Terre.

Cette croyance *universelle* pourrait bien tout simplement être considérée comme une autre secte...

une parmi les centaines d'autres sectes qui existent actuellement... En quoi est-elle donc différente? Les métaphysiciens représentent-ils simplement un autre groupe d'individus qui croient connaître Dieu mieux que les autres?... Dans ce cas, ils ne diffèrent en rien des autres! Cela pourrait peut-être être vrai... Après analyse, voyez ce qui distingue vraiment la croyance métaphysique des autres croyances : - toutes les croyances humaines sont respectées - aucune croyance n'est *rejetée* - les métaphysiciens ne sont pas des évangélistes - ils ne sont pas *endoctrinés*... les spécificités sont souvent laissées à la discrétion de l'individu - il n'y a aucun centre de pouvoir humain - les règles s'imposent d'elles-mêmes et ne sont déterminées que par l'individu, et... la plupart du temps, les métaphysiciens croient dans l'enseignement de l'amour universel de Jésus et le mettent en pratique.

LE SYSTÈME DE CROYANCE MÉTAPHYSIQUE BRIÈVEMENT RÉSUMÉ

Le mot «métaphysique» présentement utilisé semble bien intangible : un dictionnaire populaire fournit ces exemples de mots qui se rapportent à la métaphysique :

spirituel, sans corps, céleste, désincarné, éthérique, paradisiaque, incorporéel, sans substance, intangible, immatériel, surnaturel, irréel,
ou\bizarre, curieux, mystérieux, fantômatique, incroyable, mystique, étrange, sinistre, épeurant, étrange, surnaturel, inquiétant.

Comme les mots *bizarre, étrange, épeurant, curieux,* et *surnaturel* figurent au dictionnaire pour décrire la métaphysique... vous pouvez imaginer ce que pensent la plupart des gens des métaphysiciens! Voici une brève description de ce que sont réellement les métaphysiciens.

(1) Pour le métaphysicien, Dieu est un concept qui fait référence à une conscience collective unifiée de tous les êtres (le grand *Je suis*). Cela signifie que chaque homme est un morceau de Dieu. Pendant son séjour sur la Terre, cependant, l'homme n'est pas conscient de cette évidence. La nature du voile qui la cache est décrite dans la Sainte Bible dans la Première Lecture aux Corinthiens 13:12 (le très beau chapitre qui dépeint merveilleusement l'amour dans la trame universelle des choses). Dans ce verset, il est dit que nous voyons la vérité comme à travers un verre sombre, et que c'est seulement lorsque nous serons *face à face* (un avec Dieu) que nous connaîtrons toute la vérité. La traduction de la version du *King James* (Roi Jacques) est très métaphysique : c'est ce qui en fait toute la beauté... *«puis-je alors en connaître autant que je suis connu».* Ceci revient à dire que celui qui connaît est aussi celui qui est connu... un lien indéniable avec l'entité de Dieu qui se trouve en chacun de nous. Plusieurs pensent que de croire que nous avons chacun le pouvoir de Dieu est ridicule, mais le prophète Jean a clairement dit que chaque homme a le **pouvoir de devenir comme Jésus** : un *fils* de Dieu... un enfant né de ou conçu par l'Esprit (Jean I :12).

Quelle conclusion faut-il tirer de cela? Si nous sommes Dieu, qui dirige le spectacle pendant que nous sommes sur la Terre? La réponse est... et cela peut être confus... que **c'est nous qui le faisons.** En tant que partie de Dieu, nous avons décidé de venir ici et nous nous sommes entendus collectivement sur les leçons à recevoir. Lorsque nous quitterons, nous nous jugerons nous-mêmes et nous jugerons de notre performance collectivement, et nous poursuivrons notre but d'énergie parfaite d'amour pour l'univers entier. C'est pourquoi les métaphysiciens soutiennent qu'il n'y a pas de hasard. Les choses ont leur raison d'être. Des enfants meurent... des guerres s'installent... des gens sont guéris... tout cela dans l'ordre de ce qui doit arriver pour le bénéfice des hommes qui sont ici pour apprendre. La vie sur Terre est une grande école, avec plusieurs paliers d'apprentissage. Le temps que nous passons ici n'est qu'un clignement d'oeil par rapport au schéma d'ensemble. Pendant que nous sommes ici, nous recevons de l'aide d'autres êtres qui ont accepté de venir avec nous... certains peuvent être invisibles (quelque peu mystifiant, n'est-ce-pas? Nous reviendrons là-dessus un peu plus tard).

Cela peut sembler illogique pour le mental humain de croire que nous avons en fait décidé de venir sur Terre pour traverser une vie potentielle de misère et de souffrances... mais pour l'esprit de Dieu (nous, lorsque nous ne sommes pas sur Terre), cela est comme il se doit : nous sommes venus dans l'amour, pour traverser une étape qui nous aidera **tous**. Ne vous trompez pas cependant : les métaphysiciens croient aussi que, pendant que nous sommes ici, nous pouvons utiliser le pouvoir inhérent que nous avons en tant que partie de Dieu à la naissance pour choisir quoi que soit par la suite (Jean 1:12 encore une fois). Cela nous ramène aux leçons, et n'importe qui sur Terre peut *se brancher* sur le pouvoir à tout moment lorsqu'il se sent prêt.

Cela soulève également la question des vies

passées possibles, des implications dans un groupe karmique, de la prédestination et de tous les autres sujets complémentaires associés à la métaphysique (peut-être disproportionnés par rapport à l'intention réelle de la croyance). Ces sujets complémentaires ne sont pas doctrine. Ils sont importants pour les individus dans la mesure où ils croient qu'ils peuvent leur être utiles, et dans la mesure où ils sont directement reliés à ce qu'ils doivent faire de cette information pour s'aider eux-mêmes. La plupart des métaphysiciens cependant, finissent par croire qu'ils sont effectivement déjà venus sur Terre, ou de quelque part d'autre dans l'univers, plusieurs fois et que cette vie terrienne, comme chacune des autres vies (qui restent voilées pendant qu'elles sont vécues) sont des leçons, ou des tests, qui permettent à toute l'humanité de pouvoir s'élever à un niveau d'illumination très semblable à la divinité elle-même... tel que décrit dans la Sainte Bible, au chapitre 21 de l'Apocalypse, *Le nouveau ciel et la nouvelle terre*: à la fin du temps de la Terre, nous assisterons au *Mariage de l'agneau*. (L'agneau symbolise ici Jésus que Dieu a sacrifié par amour en l'envoyant sur Terre pour souffrir aux mains des hommes). Ce mariage, selon les métaphysiciens, est la graduation de ces leçons; le dernier chapitre; le moment où les esprits éclairés verront se soulever le voile pendant qu'ils seront encore sur Terre... et oui, ils verront Jésus de nouveau et se reconnaîtront les uns les autres. D'autres, qui ne sont pas encore prêts, seront déplacés... ce sont les sombres révélations de l'Apocalypse. Une bataille sera livrée, mais non pas une bataille à laquelle vous pourriez vous attendre... plusieurs mourront toutefois... toujours selon le plan que nous avons tous accepté d'avance. Les métaphysiciens croient que au *niveau cellulaire* (une autre façon de dire *dans nos coeurs*), nous savons tout ce qui nous est arrivé depuis le commencement des temps tel que nous le comprenons.

(2) Le système métaphysique englobe toute l'humanité, et la considère comme un groupe homogène dans le **temps réel** (au lieu de la considérer comme un groupe d'êtres rassemblés pour la moisson... ou des individus isolés pour qui prier, ou à qui envoyer des missionnaires, etc.) Un contexte de temps réel permet une interaction immédiate. Ainsi, ce qui se passe aujourd'hui en Chine affecte à l'instant même tous les individus spirituels de l'univers, y compris le marchand de chiens-chauds à New-York et le pape. Si le moment est approprié, et si suffisamment de gens unissent leurs prières, des événements incroyables peuvent prendre place tels que la démolition du Mur de Berlin qui s'est effectuée presque en une seule nuit, ou des changements radicaux en Russie, ou la paix en Amérique du Sud. Ces événements sont des événements alimentés universellement; ils ne sont pas basés sur une religion mais répondent au travail d'une mécanique universelle comme la prière (méditation) et l'amour... présents dans et pratiqués par plusieurs religions. Ils sont aussi la preuve que nous nous rapprochons de notre but qui est l'unification de la Terre.

(3) La métaphysique ne donne tort à personne ni à aucun groupe. Elle propose une façon de se mettre en relation avec Dieu et l'univers et non une collection de règles pour le salut de l'homme. C'est une formule très personnelle. Il n'est pas nécessaire d'être membre d'un groupe. Dans le premier monde compétitif, ceci est un concept difficile à comprendre. C'est un peu comme si vous étiez dans une école où il y a plusieurs niveaux de scolarité... et où tous étudient parallèlement en vue du

même diplôme. Certains individus pourraient désirer une sélection de cours privés ou certains degrés de difficultés pour s'instruire, alors qu'à d'autres niveaux, les gens pourraient être compétitifs ou fonctionner en groupe... Tous cependant tendent vers le même but. Chacun pourrait sélectionner son niveau d'apprentissage et les cours qui répondent le mieux à ses besoins du moment, ou qui le mettent en contact avec d'autres gens de sa culture ou de même mentalité. La graduation serait extraordinaire!... Tout le monde se réunirait à la fin pour célébrer ensemble... dans l'amour et l'harmonie de la tâche accomplie. La *signature* des élèves du groupe d'apprentissage métaphysique serait qu'ils encourageraient les autres à atteindre leur but... au lieu de tenter de les convaincre que leur apprentissage métaphysique est le meilleur ou la seule avenue correcte à emprunter. En d'autres termes, la métaphysique est l'un des seuls systèmes qui reconnaît que **tous** les autres systèmes ont le droit d'exister, et qu'ils sont justes par rapport à ce que plusieurs doivent traverser au cours de leur période sur Terre.

(4) Les métaphysiciens croient que le processus de la méditation, de la prière et de l'amour est universel et qu'il fonctionne **peu importe qui vous êtes.** C'est pourquoi **la plupart** des autres systèmes de croyances spirituelles dans le monde *s'associent* souvent aux nombreux résultats de leurs démarches, tels qu'une réponse immédiate et positive à la prière et de remarquables guérisons et succès. On observe quotidiennement plusieurs miracles dans le tiers-monde (qui ne sont pas rapportés et demeurent inconnus du premier monde) résultant d'une pratique régulière de la prière et de la méditation. De saints hommes sont vivants aujourd'hui et aident des gens à découvrir le pouvoir

qu'ils possèdent en eux-mêmes... Les rencontres qu'ils animent donnent régulièrement lieu à des douzaines de guérisons.

(5) En raison des paragraphes 3 et 4 (ci-dessus), la métaphysique n'est pas évangélique. C'est un des seuls systèmes sur Terre qui ne l'est pas. Si vous êtes prêts à accepter cela, alors vous l'adopterez. Si vous ne l'êtes pas, vous ne le ferez pas. Bien sûr, on a tendance à croire que ceux qui l'adoptent sont plus éclairés que ceux qui ne le font pas, mais ceci est un jugement humain... *il vous en dit beaucoup sur les hommes, pas sur Dieu.* Les métaphysiciens croient qu'il est bon de diffuser les nouvelles... mais ne cherchent pas à convertir qui que ce soit par elles.

(6) Enfin, et c'est ce qui est le plus difficile à accepter pour la plupart des chrétiens, de toute évidence les métaphysiciens ne considèrent pas que Jésus est Dieu plus que vous ou moi. Ils ne L'adorent pas en tant que Dieu et ne croient pas que Jésus leur demande de le faire. Ils **croient plutôt** que Jésus pouvait être plus près de Dieu ou de l'amour pur que tout autre entité de l'univers, et que Sa visite sur Terre était d'une importance cruciale et capitale pour l'humanité. Il avait le plus haut niveau d'illumination jamais vu... et Il est venu pour nous enseigner à une période où cela était absolument nécessaire pour cette partie de la civilisation... Il est venu sachant très bien qu'Il souffrirait douloureusement à la fin de Son passage sur Terre. La décision de L'envoyer a été prise collectivement et ce fut une douloureuse décision. A-t-il accompli tous les miracles rapportés?.. oui. Est-Il revenu d'entre les morts?...Il en avait certainement le pouvoir. Était-Il le **Fils** de Dieu? Dans la mesure où nous pouvons comprendre ce que cela veut dire... oui. (Nous ne

pouvons *connaître* la Pensée de Dieu pas plus que nous ne pouvons expliquer les mécanismes de la combustion interne d'un moteur à un fourmilier! Il y a des choses qui dépassent tout simplement notre capacité de connaître pendant que nous sommes ici.) Lorsque Dieu a voulu nous faire ressentir à quel point la venue de Jésus en ce monde était importante et précieuse pour les hommes, Il s'est référé à l'émotion qui accompagne la naissance d'un bébé : c'est ce à quoi les hommes pouvaient le mieux s'identifier. Il n'y a en fait rien de plus précieux pour les humains que leurs enfants. Jésus a illustré par sa vie le pouvoir absolu et l'amour de Dieu disponibles pour chacun... Il est aussi possible qu'Il ait également visité d'autres mondes... Songez seulement à cette possibilité... cette spéculation à elle seule devrait faire grandir notre amour et notre admiration pour cet être vraiment spécial que nous appelons Jésus.

Pourquoi était-Il de **sexe mâle**? Pour s'incarner sur la Terre, il devait être d'un sexe ou de l'autre. Or, il était plus acceptable pour la culture de l'époque que Jésus soit de sexe mâle. Dieu savait qu'il serait ainsi plus facile pour Lui d'enseigner et d'être écouté par les aînés. Quant aux références masculines évidentes en ce qui concerne Dieu et le Fils de Dieu... et le Fils de l'Homme, elles ont été *masculinisées* par les écrivains du temps, (probablement sans trop y penser) pour se conformer à la conception de la puissance et de l'autorité acceptables. Dieu est-Il **mâle**? NON. Les nuages ont des organes sexuels? Est-ce que l'air que nous respirons est mâle? Dieu est esprit... générique et universel. La référence à la forme femelle et mâle ne s'applique qu'à notre temps sur Terre. C'est pourquoi, plusieurs métaphysiciens désignent Dieu par l'appellation *Dieu Père-Mère* ou tout simplement *Source*.

Nous vivons maintenant à une époque où les femmes et les hommes sont enfin réunis et reconnaissent peut-être pour la première fois qu'ils partagent une spiritualité commune qui n'est dominée par aucun genre spécifique. C'est aussi l'époque de l'émergence d'un concept connu, mais qui n'appartient pas nécessairement au *premier monde*... d'unification pour les couples au plus haut niveau possible : dans l'Amour de Dieu d'abord (union spirituelle), dans l'amour humain ensuite, puis dans l'union physique.

Les métaphysiciens croient en outre qu'une grande partie de la Bible a été interprétée et traduite par des hommes à des fins humaines, et que certaines informations ont été intentionnellement écartées (ceci sera éventuellement prouvé sur Terre...mais pas nécessairement accepté par les chrétiens). Les métaphysiciens ne croient pas au diable au sens classique du mot. L'enfer et la damnation éternelle ne jouent pas non plus un rôle traditionnel dans leur croyance. Ils soulignent qu'avant que la chrétienté devienne ce qu'elle est aujourd'hui, il y a eu une période au cours de laquelle elle a été contrôlée et manipulée par de puissants gouvernements qui l'ont même utilisée pour faire la guerre. Le pouvoir était la plupart du temps entre les mains des dirigeants religieux et ils étaient souvent corrompus. Les Écritures ont été censurées, rédigées et traduites en vue de les aider à contrôler le peuple... et on lit encore et on se conforme toujours à ces mêmes écrits aujourd'hui. Vous ne pouvez entrer dans un *débat sur la Bible* avec un métaphysicien... Ils ne croient tout simplement pas qu'elle soit totalement précise. Par conséquent, ce qui est sacré et prend mesure d'autorité pour une personne ne peut être utilisé pour débattre ou prouver un point précis à une autre.

Cela devient un débat stérile... et personne n'en sort gagnant. Les métaphysiciens utilisent la Bible comme référence à plusieurs vérités d'ordre général telles que révélées par Jésus. Ils croient en outre que, sous sa forme originale, la Bible avait été *channellée* (transmise par Dieu aux hommes)... toute la Bible et non seulement les extraits que vous avez lus. Les métaphysiciens s'appuient sur la **méditation**. La méditation est simplement une prière... où on écoute au lieu de parler... et rien de plus. Ce n'est pas apeurant, ni étrange, et il n'est pas nécessaire de vous mettre dans la position du lotus ni de murmurer des sons bizarres pendant que vous le faites. La méditation est le moment où vous recevez du pouvoir, de l'information intuitive et des directives. Les métaphysiciens croient également très fortement dans la prière (parler, adorer, et dialoguer), utilisée de façon générale pour venir en aide aux autres. Ils croient que l'Esprit (l'Esprit Saint) est la voix du Dieu collectif, et qu'Il est tout aussi puissant aujourd'hui qu'auparavant, et qu'Il fournira de la bonne information telle qu'elle devrait être fournie. Ceci est continu et n'a jamais cessé d'être depuis les prophètes il y a 2 000 ans. Le concept de la Trinité (Père, Fils, Esprit Saint) est remplacé par celui d'un pouvoir égal pour tous... et non seulement un partage à trois.

Dieu est amour et l'amour est la force la plus puissante de l'univers. De plus en plus, l'amour remplacera la loi et la grâce en tant que méthode de travail de Dieu sur Terre alors que nous approchons de la fin du terme. Les niveaux plus élevés d'illumination le permettront. Lorsque nous aurons terminé, la pure énergie d'amour dominera et Jésus, comme tous les autres grands maîtres connus de l'histoire, reviendra sur la Terre avec les hommes. Ceci sera spectaculaire et donnera le signal de la levée du voile alors que les hommes sont encore sur la Terre! Les métaphysiciens croient que notre monde est simplement un monde parmi plusieurs où ce phénomène doit se produire et que, chaque fois que cela se produit, c'est un événement très spécial célébré partout dans l'univers auquel toutes les entités spirituelles (dont nous ignorons même l'existence dans plusieurs cas mais qui nous ont aidés tout au long de notre vie) participent. <u>Personne ne connaît vraiment la véritable puissance de l'énergie d'amour.</u>

«L'INVISIBLE»

On a tellement insisté sur le côté *invisible* de la métaphysique que cela prend une certaine importance pour plusieurs. Que peut-on dire des fantômes, des OVNIS, des guides, etc? Il n'est **pas nécessaire** pour personne d'entre nous de connaître rien de plus que le *pourquoi nous sommes ici* et *ce que nous avons à faire* (il y a de quoi nous occuper toute notre vie!). Les mécanismes de l'univers et la façon dont les choses fonctionnent nous sont communiqués de manière périphérique et à petites doses. Inutile de préciser que **ce n'est pas** très important de tout comprendre. Si la voiture vous amène à destination, il n'est pas nécessaire de bien comprendre le fonctionnement du moteur pour arriver en sécurité. Certains d'entre nous souhaitent cependant être des mécaniciens et sont heureux des explications fournies et des enseignements qu'ils reçoivent.

Pour ceux d'entre vous qui désirent en savoir

plus... il y a des livres qui traitent de ce sujet... Voici toutefois **quelques vérités de base** : il existe plusieurs, plusieurs entités spirituelles (comme nous) qui participent à plusieurs autres scénarios sur Terre. Certaines sont séparées et indépendantes de nos objectifs sur Terre, et d'autres nous assistent directement dans notre mission ici-bas. Eh oui, il y a d'autres entités dans d'autres mondes (ceci vous surprend-il vraiment?). Certaines sont comme nous et passent à travers d'autres leçons (moins élevées et plus élevées que les nôtres). D'autres sont tout à fait différentes; elle ne sont pas aussi tangibles que celles que nous avons l'habitude de voir et par conséquent inquiétantes lorsque perçues. Certaines peuvent communiquer marginalement. Certaines essaient... et ne le devraient pas. Certaines nous rendent visite...et certaines ne le devraient pas.

Occasionnellement, notre route croise celle d'autres entités. Cela fait parfois partie d'un maître-plan mais parfois cela est sans relation avec nos leçons. La plupart du temps, nous devenons temporairement conscients d'être épiés ou nous sentons qu'une communication a été établie. Ceci représente des faits de notre temps; ce sont des situations exceptionnelles... **et normales.** En d'autres occasions, nous pouvons voir ou entendre des choses qui peuvent nous apeurer ou nous sembler incompréhensibles (comme des fantômes par exemple). Ceci n'est pas si rare et les gens qui comprennent ce mécanisme sont nombreux. Il s'agit d'une situation normale mais, une fois de plus, il n'est pas nécessaire pour nous de la comprendre. Même la Bible parle des esprits. Il ne serait par conséquent pas logique de les ignorer.

Les métaphysiciens ne croient pas au diable ni à

l'enfer. Ils considèrent que ces croyances et ces concepts sont nés des métaphores utilisées dans la Bible pour contrôler politiquement le peuple à travers les âges. Ne vous méprenez pas, cependant : il y a assurément un côté spirituel sombre. Jésus est venu pour nous enseigner cela aussi et l'avertissement était clair : **Éloignez-vous de lui!** Vous pouvez aussi facilement manifester de la négativité et de la tragédie que de l'Amour et de la guérison. Votre pouvoir en tant que partie de Dieu est absolu... pensez-y. Pendant la période de *l'ordre* sur la Terre, Dieu **a créé** beaucoup de mortalité et de souffrances. Tout ce qu'on voit n'est pas toujours beau et aimant.

L'exorcisme des esprits mauvais est un fait réel. Il existe de basses entités invisibles qui s'installeront dans la négativité si on les y invite. La dépression profonde et *le retrait en soi* est le syndrome classique de l'invitation. Il faut parfois se mettre à plusieurs pour arriver à faire sortir ces entités de quelqu'un car la personne ne peut pratiquement pas nous aider. Souvent, par contre, on désigne la maladie mentale et les déséquilibres chimiques biologiques comme étant une *possession par des entités malignes...* cela semble plus impressionnant de dire que la personne est possédée par le Diable. Entendre des voix provient plus probablement d'un déséquilibre biologique que d'un déséquilibre spirituel. Une fonction anormale du cerveau peut facilement générer des signaux de base de la pensée qui peuvent se renverser et retourner vers le centre de l'ouïe: la personne *entend* ainsi réellement les voix générées par cette pensée involontaire. (Ceci est comparable à des diodes défectueux dans un circuit électrique). Quoique apeurant et souvent tragique, ce phénomène n'est cependant pas l'oeuvre du diable ou d'autres esprits.

Notre objectif sur Terre est de transmuter le négatif en positif autant dans nos propres vies, à travers les enseignements de Jésus, que pour la planète entière. L'amour est roi et il est de loin ce qu'il y a de plus puissant. L'absence d'amour... est péché...; l'incroyable noirceur de cet état est la haine, la jalousie, l'égoïsme, l'avarice, la soif du pouvoir et la négligence. Jésus est venu sur Terre pour nous enseigner comment nous élever hors de cette condition en partant de ce que nous sommes réellement et de la façon dont nous pouvons prendre possession de notre pouvoir et guérir la planète. On nous demande aussi de répandre la parole... de divulguer la vérité afin que tout le monde puisse l'entendre. (Les métaphysiciens ne croient pas que nous avons aussi comme mission de forcer tout le monde à l'accepter). La vérité **vous libérera.** Cependant, tous ne sont pas prêts à la recevoir et personne ne doit être nourri de force. C'est pourquoi un métaphysicien peut vous instruire sur le système... puis vous laisser à vous-mêmes. Certains se détourneront en se disant que les métaphysiciens sont fous... mais d'autres trouveront la lumière.

QUELQUES MOTS À PROPOS DE L'ENSEIGNEMENT DE JÉSUS

Les mots qui rapportent les enseignements de Jésus sont sacrés... mais les traductions ne le sont pas (quoi qu'on vous ait dit). Des traductions sont toujours à venir (comme celles qui suivent). Ayez l'esprit suffisamment ouvert pour comprendre ces nouvelles interprétations... elles sont importantes. Nous vous présentons ci-dessous quelques-uns des plus grands versets de la Sainte Bible écrits par les disciples de Jésus ou attribués à Jésus Lui-même. Ils ont été interprétés à travers *l'Esprit* (le Saint Esprit) par la voie de Kryeon.

Jean 3:16 - écrit par Jean
«Car Dieu a tant aimé le monde qu'il a donné son Fils unique, afin que quiconque croit en lui ne meure pas, mais ait la vie éternelle.»

La vision métaphysique (Jean 3:16)
«Dieu a tant aimé les gens de la Terre, qu'il a été décidé d'envoyer la seule entité spirituelle qualifiée de l'univers... l'être divin le plus élevé... né en fait de l'Esprit... pour marcher parmi les hommes, afin que quiconque l'écoute et croit en ce qu'Il a dit, cesse d'être attiré par l'aspect négatif de la Terre, qu'il ne soit pas condamné à mourir sans illumination, mais qu'il ait plutôt la connaissance d'une vie qui n'aura pas de fin.»

Jean 1:11-12 - écrit par Jean
«Il est venu parmi les siens, et les siens ne l'ont pas accueilli. Mais à tous ceux qui l'ont accueilli, il a donné pouvoir de devenir enfants de Dieu.»

La vision métaphysique
«Il est venu sur Terre et vivait au milieu des hommes comme lui. Ils ne L'ont cependant pas reconnu et n'ont pas cru en lui. Toutefois, les nombreuses personnes qui ont cru en ses paroles et les ont mises en pratique, ont reçu le savoir illimité et le pouvoir de devenir exactement ce qu'Il était - un enfant de Dieu.»

Jean 1:14 - écrit par Jean

«Et le Verbe s'est fait chair et il a habité parmi nous, et nous avons contemplé sa gloire, gloire qu'il tient de son Père comme Fils unique, plein de grâce et de vérité.»

La vision métaphysique

«Et la vérité de l'univers a été envoyée sous forme humaine pour se mêler aux hommes sur Terre, et nous L'avons vu, nous savions qu'Il disait la vérité, et nous avons vu la gloire de son amour de l'univers tel que représenté dans sa forme la plus élevée possible: la seule choisie de Dieu, pleine d'amour et de vérité.

Épître aux Romains 3:23-24 - écrite par Paul

«Tous ont péché et sont privés de la glore de Dieu; et ils sont justifiés par la faveur de sa grâce en vertu de la rédemption accomplie dans le Christ Jésus.»

La vision métaphysique

«Tous les humains, dans leur négativité et leur ignorance, sont passés à côté de la connaissance, de l'illumination et de l'amour qui auraient pu être leurs; ceci peut maintenant être changé, étant offert gratuitement par Dieu à travers l'amour et la vérité apportées sur Terre par Jésus; celui qui a été choisi.»

Épître aux Romains 6:23 - écrite par Paul

«Car le salaire du péché, c'est la mort; mais le don gratuit de Dieu, c'est la vie éternelle dans l'union avec Jésus-Christ notre Seigneur.»

La vision métaphysique

«Si vous demeurez dans la négativité et la noirceur, sans amour, vous mourrez sans lumière; mais le cadeau que le

Dieu de Jésus vous offre gratuitement vous apportera la lumière, la puissance et la vie éternelle à travers son amour et ses enseignements.»

Épître aux Romains 10:9 - écrite par Paul
«En effet, si tes lèvres confessent que Jésus est Seigneur et si ton coeur crois que Dieu l'a ressuscité des morts, tu seras sauvé.»

La vision métaphysique
«*Lorsque vous reconnaissez et verbalisez ouvertement les enseignements et l'amour universel de Jésus, et croyez qu'Il avait le pouvoir de se ressusciter Lui-même d'entre les morts, vous aurez la lumière, la compréhension et le pouvoir qui vous permettront d'en faire autant.*»

Jean 14:5-7 - écrit par Jean, citant Jésus
«*Thomas lui dit: Seigneur, nous ne savons même pas où tu vas. Comment saurions-nous le chemin? Jésus lui répondit: Je suis le Chemin, la Vérité et la Vie. Nul ne vient au Père que par moi. Si vous me connaissez, vous connaîtrez aussi mon Père. Dès à présent vous le connaissez et vous l'avez vu*».

La vision métaphysique
«*Thomas dit à Jésus: Seigneur, nous ne savons pas où vous allez, alors comment pouvons-nous éventuellement savoir comment nous comporter nous-mêmes? Jésus dit à Thomas: Je vous ai montré la voie en vous donnant la vérité et par l'exemple de ma vie. Personne ne peut possiblement atteindre Dieu si ce n'est par mes enseignements et mon esprit, car je suis un avec Dieu. Si vous m'avez reconnu, vous avez reconnu Dieu en moi. À partir de maintenant, donc, vous pouvez dire que vous avez*

vu Dieu et que vous Le connaissez.»

RÉSUMÉ DU CHAPITRE

La croyance métaphysique est souvent identifiée au mouvement **nouvel âge**. On lui associe tout un attirail tels les cristaux, les modules d'énergie, les enseignements subliminaux, les OVNIS, l'astrologie et autres phénomènes intangibles qui sont encore inexpliqués. Un grand nombre d'humains sont attirés par tout ce qui est inhabituel; plusieurs cherchent avidement des réponses autres que celles offertes par l'Église traditionnelle. Dans un mouvement où il n'y a pas de pouvoir centralisé, il y en a beaucoup qui suivent *automatiquement...* comme des papillons de nuit attirés par la lumière... et cela attire malheureusement les déséquilibrés comme ceux qui cherchent à être mieux éclairés.

Tous ceux qui entreprennent d'explorer plus à fond ce système doivent être conscients qu'ils devront manœuvrer à travers l'étrangeté... et qu'ils doivent **pouvoir distinguer** la vérité de la fantaisie... séparer les vrais croyants des exploiteurs commerciaux, ou encore reconnaître ceux qui sont là parce qu'ils sont confus ou déséquilibrés. (Plusieurs personnes déséquilibrées sont aussi attirées par la religion chrétienne... demandez-le à n'importe quel prêtre chrétien). Laissez-vous guider par les enseignements de Jésus : visualisez chaque personne et recherchez en elle l'esprit d'amour, d'intelligence et de maturité qui se <u>doit</u> d'être présent.

Le *bizarre* deviendra éventuellement *moins bizarre* à mesure que les gens grandiront dans le système et comprendront graduellement la métaphysique. Les choses inexpliquées ne sont pas nécessairement fausses ou étranges : une calculatrice de poche apportée à une réunion en Virginie il y a 200 ans aurait été considérée comme un phénomène inexpliqué et bizarre... (et vous auriez pu être brûlés sur le bûcher pour l'avoir eue en votre possession!) Cet objet n'est évidemment ni mauvais ni faux... il n'était tout simplement pas encore compris... et se trouvait en avant de son temps. Bien que fonctionnels, plusieurs éléments *étranges* du domaine métaphysique font partie de cette catégorie du *pas encore compris*.

Aux premiers jours de la civilisation humaine, nous appelions notre relation avec l'univers (Dieu), l'enseignement de la *loi*. Tout comme un parent sévère, Dieu a établi les règles et a puni ceux qui se sont mal comportés. Lorsque l'homme a touché l'Arche de l'Alliance, il est mort... tout comme Dieu l'en avait averti s'il touchait le centre du pouvoir... cause et effet... crime et punition. Ceci a été le résultat de la conduite de l'univers face au niveau de conscience de ce temps, la Terre étant au tout premier stade de son développement en tant que groupe spirituel. Ceux qui avaient un sens spirituel plus élevé ont été épargnés... le prophète Élie, par exemple, qui a été *retiré* de la Terre sans passer par la mort... Parler à Dieu face à face semblait être chose courante à l'époque, mais la crainte de Dieu était grande.

Il y a 2 000 ans, nous avons connu l'âge de *Grâce*. Ceci fait référence à la grâce que Dieu nous a accordée en nous envoyant Jésus pour nous enseigner la vérité. Le monde semblait prêt à apprendre comment utiliser leur pouvoir spirituel pour eux-mêmes. Ce fut un mouvement vers le haut pour le genre humain qui eut accès à un niveau spirituel supérieur. C'était en fait l'âge de la responsabilité, puisque la possession d'une connaissance entraîne la responsabilité de son utilisation. À cette époque, cette découverte représentait un *nouvel âge* et les enseignements de Jésus ont été confrontés à la critique et à l'incrédulité habituelles de la part des hommes négatifs qui étaient au pouvoir (tout comme n'importe quel mouvement ascendant de la Conscience spirituelle).

Nous entrons maintenant dans l'âge de *l'Amour*. On l'appelle encore le *nouvel âge*. Ceci sera la dernière étape cependant et toute la tourmente que nous subirons viendra de la confrontation entre ceux qui ressentent l'Amour et ceux qui ne le ressentent pas. Ceci donnera lieu à une sélection naturelle qui visera à déraciner ceux qui ne doivent pas rester pour la graduation. Cette distribution finale exige que nous ayons reçu les enseignements de Jésus; un énorme pouvoir sera alors donné à ceux qui comprennent et endossent leur responsabilité dans l'utilisation de la pure énergie d'amour.

Le mouvement des chrétiens charismatiques cadre très bien avec le nouvel âge puisque toute leur croyance est basée sur l'amour mais, compte tenu de leur doctrine, ils pourraient se sentir mal à l'aise lors du déroulement des événements et pourraient croire que plusieurs des leaders nouvel âge sont des représentations de l'antéchrist. Ceci sera la conséquence d'une interprétation plutôt faible et directrice de l'Apocalypse telle que présentée par l'Église depuis des centaines d'années. Ils feraient mieux de se détendre, de laisser Dieu leur montrer le chemin et de ne pas s'appuyer sur la doctrine seulement pour décider de leur sort. Ce sera le temps de prendre individuellement la responsabilité de leur foi et de voir ce qui se passe vraiment autour d'eux... sans s'accrocher aux prédictions qu'on leur avait faites sur les événements à venir. Si les humains devaient connaître tous les détails de la fin des temps, Dieu n'aurait pas choisi de leur laisser des Écrits aussi vagues et mystérieux sur le sujet. C'est à chacun d'user de son discernement à partir de son propre esprit... et non de l'interprétation d'autrui. **Ne croyez personne** qui vous affirme avoir l'autorité d'interpréter les Écrits sur la fin des temps... cette autorité n'a pas encore été accordée. Nous avons été prévenus de ne rien ajouter aux textes originaux de l'Apocalypse afin que les Écrits demeurent vagues!

L'énergie d'amour deviendra de plus en plus intense. Certains se sentiront très bien dans cette nouvelle condition alors que d'autres seront incapables de s'y adapter. La Terre réagira physiquement à cette nouvelle distribution et la polarité de la Terre elle-même se modifiera pour accommoder la nouvelle conscience. (Le changement de la polarité a été identifié à l'ouverture du sixième sceau du livre de l'Apocalypse... ceci n'est toutefois que spéculation humaine... mais, l'est-ce vraiment?).

Vous qui lisez ceci, qui que vous soyez, sachez que c'est la vérité: La peur ne doit pas intervenir dans ce qui est à venir, et ce qui est à venir ne doit pas être craint. L'amour est le nouveau grand pouvoir, et l'amour nous protégera et nous aidera en ces temps nouveaux. Jésus a apporté l'énergie d'amour au monde... ce n'est pas par hasard que nous continuons à L'aimer à ce point.

Que Dieu vous bénisse!

Kryeon

SEPT

Récapitulation de l'auteur

Je ne peux terminer le premier livre de Kryeon sans partager avec vous certaines pensées et observations biologiques (humaines). D'abord... si vous vous êtes rendus aussi loin dans votre lecture (et si vous avez vraiment tout lu jusqu'ici), je tiens à vous féliciter pour votre persévérance! Je vous l'ai déjà mentionné, les écrits de Kryeon ne sont pas toujours présentés dans la meilleure forme littéraire... et parfois même ils sont carrément énigmatiques à moins que vous ne soyez déjà engagés dans le processus.

Pour ma part cependant, en tant qu'intermédiaire, j'ai eu le privilège de comprendre tout ce qui a été dit et j'ai pu l'expliquer en détail aux gens autour de moi et répondre à leurs questions. Cela m'a également conduit à organiser quelques séances privées de consultation et des sessions de groupe. L'information que j'ai récoltée lors de ces séances... additionnée de mon expérience personnelle dans l'application des enseignements de Kryeon m'a conduit à ce qui suit. Si vous désirez mettre les enseignements de Kryeon en application dans votre vie, lisez alors ce dernier chapitre. Je crois que vous le trouverez important : j'y ai inclus mes conseils d'un point de vue humain plutôt que du point de vue de Kryeon.

FAIRE APPEL À L'IMPLANT NEUTRE

Souhaitez-vous demander un changement de guides et l'implant neutre? J'ai pu observer de près ce qui se passe alors dans le meilleur et dans le pire des cas. Le meilleur cas se présente quand quelqu'un, pour quelque raison que ce soit, réussit à obtenir un changement de guides pratiquement du jour au lendemain! Lorsqu'on interroge ces gens, on découvre que, ou bien (1) le changement a été préparé de longue main sur une grande période de temps et une lutte lente et pénible s'est déroulée jusqu'au moment où l'individu a été vraiment prêt à recevoir l'information... et du même coup l'implant..., ou bien (2) il y a eu un très fort traumatisme au moment de la requête (tel que la mort d'un proche ou une expérience de vie menaçante). Cela a en quelque sorte semblé accélérer le processus. Tout ceci m'a démontré que l'expérience du changement de guides a été décrite par Kryeon dans *le pire des scénarios* afin que nous ne soyons pas surpris si c'est ce qui nous arrive. Cela m'a aussi démontré que le moment choisi pour l'événement n'arrive pas aussi vite qu'on pourrait le croire. Cela peut être le cas... mais cela peut aussi être quelque chose qui soit *en préparation* pendant une longue période de temps... et qui ait débuté bien avant que vous lisiez les écrits de Kryeon.

En ce qui me concerne, j'ai effectivement accompagné une personne qui réunissait tous les symptômes classiques du pire des cas tels que décrits dans les écrits de Kryeon : il était prêt à quitter ce monde et n'avait plus aucune raison de vivre... il n'était pas en dépression suite à un revers de fortune ou à la perte d'un amour... il avait plutôt un véritable sentiment d'achèvement sans la promesse de rien à venir. Il avait perdu intérêt pour sa famille, ses amis, sa profession et ses loisirs. Plus rien ne l'intéressait. Il était vraiment devenu une *personne neutre*. Puis, quelque chose d'inattendu, et non rapporté (par Kryeon), est arrivé : cette personne est subitement devenue extrêmement sensible à la condition de la Terre. Toute l'injustice de l'homme envers l'homme, et de l'homme envers la Terre l'a accablé de façon écrasante... et cela l'a rendu encore plus triste. C'était comme s'il pouvait voir la race humaine avec les yeux de Dieu, mais sans l'amour et la tolérance de Dieu pour tempérer ce qu'il éprouvait. Cela a approfondi encore plus le trou noir dans lequel il se trouvait. La seule chose que je pouvais faire pour lui était de l'aimer. Il devait assumer seul sa transition. Alors que je m'éloignais de cette expérience, j'étais dégrisé par l'étendue de ce que j'avais vu. J'ai réalisé que je venais de voir ce que j'avais transcrit au sujet des messages de Kryeon... et, une fois de plus, j'ai été frappé par la coïncidence. Par bonheur, cette personne a réussi à passer à travers l'épreuve pour en ressortir plus forte.

J'ai aussi accompagné une personne qui venait tout juste de recevoir ses nouveaux guides... et qui grimpait littéralement aux murs sous la poussée de la nouvelle énergie et de l'amour. Son expérience m'a conduit à vous donner ces conseils sur la communication avec vos guides.

Communiquer avec l'univers

Si j'avais à vous révéler l'un des plus importants aspects de la façon dont travaille l'autre côté du voile pour nous, je dirais... ils travaillent littéralement. Plusieurs croyants éclairés croient encore que l'univers

est une sorte de Père Noël spirituel... qui sait si vous
êtes endormis ou éveillés, ou encore si vous êtes sages
ou non... et que tout ce que vous avez à faire est d'être
là et que les choses vous tomberont du ciel sur la tête.
En fait, il y a une part de vérité dans cela... Si vous
suivez votre voie, vous profiterez effectivement
d'opportunités qui vous permettront de progresser. Il y
a cependant beaucoup plus que cela.

Sachez que : si l'univers vous amène à passer à
travers un changement de guides... et que vous
transmutez avec succès le négatif en positif... l'univers
considère que vous faites votre travail et que vous
respectez les termes de votre contrat. Si, toutefois, il
arrive que vous mouriez de faim au même moment,
l'univers n'en est pas conscient! Comment cela se peut-
il? (vous demandez-vous peut-être). Rappelez-vous que
vous êtes biologiques, en apprentissage, et que vous
vivez culturellement comme dans un petit bol à poisson
rouge. L'univers doit être informé de ce dont vous avez
besoin... et cela se fait par la communication avec vos
guides. Aussi bizarre que cela puisse paraître, vous
devez demander tout ce qui n'est pas spirituel. L'univers
connaît effectivement quelle est votre prochaine leçon
karmique, quelle épreuve vous aurez à traverser ou
quelle belle opportunité se présentera à vous, mais il
doit être informé de ce dont vous avez besoin pour
survivre dans votre milieu. En premier lieu, vous avez
besoin de manger! Vous y arriverez en travaillant pour
gagner de l'argent (l'argent n'est pas un concept
spirituel). Ne tracez pas de scénario spécial... informez
plutôt vos guides sur la façon dont cela fonctionne en
général là où vous êtes. Kryeon a expliqué clairement
que les guides étaient le principal lien qui reliait
l'homme à l'autre côté du voile. Laissez-leur savoir que

vous avez besoin de travail, ou de quel montant d'argent vous avez besoin, ou comment l'univers peut vous aider à vous placer dans un endroit où vous pourrez travailler moins et gagner plus d'argent, etc... Ne soyez pas trop précis sur les *comment* (vous risqueriez de limiter les résultats... car ils répondront à la lettre à ce que vous aurez demandé). Laissez-leur savoir ce dont vous avez besoin, mais ne leur dites pas comment s'y prendre.

Vos guides ont en fait besoin que vous leur parliez. Verbalisez à haute voix vos besoins. Écoutez-vous parler (de façon à ce que le message vous paraisse juste)... puis placez-vous en retrait! Vous obtiendrez sans nul doute ce que vous demandez. J'en ai fait l'expérience autant comme autant. Lorsque je ne communique pas, les choses deviennent marginales. Lorsque je le fais cependant, elles commencent à arriver, et elles arrivent de la façon la plus surprenante parfois. Continuez toujours à communiquer (presque comme une prière quotidienne), mais n'oubliez pas de prendre aussi le temps d'écouter dans le calme.

Je conseille à ceux qui reçoivent leurs nouveaux guides de commencer à leur parler immédiatement. D'abord, si vous ne le faites pas, ils peuvent commencer à travailler très vite en vous et vous aurez l'impression de ne plus être sur Terre et vous sentirez que l'énergie vous dépasse. Vous devez leur laisser savoir à quelle vitesse ils peuvent accomplir leur travail sur vos nouveaux implants... autrement, ils iront à leur *propre vitesse*... et vous n'arriverez pas à fonctionner de façon appropriée! La chère âme dont je vous ai parlé et qui venait tout juste de recevoir ses nouveaux guides n'était pas consciente de cela. Elle avait tellement de pression dans la tête que c'était comme si elle portait un casque! De plus, son énergie arrivait si résolument que, de temps en temps, elle devait se lever et quitter la pièce où elle se trouvait en compagnie d'autres humains parce que leur énergie se heurtait au débit de la sienne et lui procurait une sensation de malaise. Rien de tout cela ne se produira si vous informez tout simplement vos guides de vos besoins. Avant de conclure cette mise en garde, je dois vous dire que d'être avec quelqu'un qui vient tout juste de vivre une telle expérience a été très enrichissant pour moi. D'être en contact avec quelqu'un qui reçoit cette nouvelle lumière, d'une telle fraîcheur, ne peut faire autrement que de vous élever... Cela me laisse entrevoir ce que pourrait être une réunion de telles gens... la négativité n'aurait aucune chance.

Même ceux d'entre vous qui ne veulent pas se soumettre à cette nouvelle expérience peuvent tout de même apprendre beaucoup de cette information universelle de base sur la nouvelle énergie : Kryeon a dit clairement que cette nouvelle énergie nous ouvre de grandes possibilités. Ces nouvelles possibilités ou facultés sont en fait une intensification de la conscience et de la réalisation du soi. Nous avons désormais l'autorisation de faire beaucoup plus avec cette part de nous-mêmes qui est le *morceau de Dieu* intrinsèquement puissant dont Kryeon nous a parlé..., et la seule façon de l'utiliser est par l'intermédiaire de nos guides. Nous ne pouvons l'utiliser à sa pleine capacité par nous-mêmes (d'où l'offrande de l'implant neutre), alors que nous pouvons devenir encore beaucoup plus puissants... aider les gens... et nous aider nous-mêmes en entretenant une communication constante avec nos guides.

Une bonne communication avec ses guides devrait constituer le sujet d'un livre en soi, puisque cela ne semble pas être un comportement humain intuitif. Un petit secret en passant? Demandez à vos guides comment vous y prendre! Commencez maladroitement, si nécessaire, et verbalisez haut et fort que vous avez besoin d'aide pour trouver le meilleur moyen de communiquer avec eux (voir le paragraphe suivant). Commencez aussitôt à leur expliquer ce dont vous avez besoin, spirituellement et physiquement. Rappelez-vous: ils sont ici pour vous aider. Leur véritable mission est de vous aider à mettre au point (amener à sa réalisation) la communication de sorte que vous puissiez mieux passer à travers vos interactions karmiques. Utilisez ce nouveau moyen amélioré! L'aspect le plus important dans la communication avec vos guides est (devinez quoi?) L'AMOUR. Vous ne serez tout simplement pas capables de communiquer sans lui. Aimez vos guides comme vous aimez Dieu. Aimez-les comme vous chérissez la personne, l'animal ou l'entité sur Terre qui vous tient le plus à cœur. Visualisez-vous dans leurs bras, chacun s'étreignant les uns les autres... puis engagez votre communication. Vous voulez des résultats? Cela vous en donnera.

EMPREINTES ET IMPLANTS

Ces deux mots et ce qu'ils représentent vous apportent-ils quelque confusion? Si c'est le cas, vous n'êtes pas les seuls. Plusieurs m'ont demandé de clarifier cela. Bien que Kryeon nous donne de bonnes explications dans ce livre au sujet de chacun de ces deux importants concepts, je crois que je peux préciser davantage sa pensée avec les mots et le tableau qui suivent.

Votre *«empreinte»* est comme votre *empreinte digitale spirituelle* avec laquelle vous êtes nés. Elle existe au niveau cellulaire et interagit avec votre ADN en même temps que votre biologie. Elle ne peut pas être changée. Des exemples d'empreintes sont : les leçons karmiques à apprendre et que vous aviez planifiées pour vous-mêmes, les signes astrologiques de votre naissance (l'équilibre magnétique de votre signe de naissance), votre karma stellaire, votre leçon de vie et votre couleur aurique. Ce sont de très importants attributs; ils constituent vos traits de personnalité, votre ego, votre aspect physique, votre stabilité émotionnelle, votre degré de résistance à la maladie et votre chemin.

Bien que cette empreinte ne puisse être changée (au cours de cette vie), elle peut être affectée ou neutralisée par un instrument spirituel d'une puissance égale (voir le paragraphe suivant). Est-ce difficile à comprendre? Visualisez ceci : La pression d'eau dans le boyau d'arrosage de votre jardin est toujours là. Vous ne pouvez rien faire pour changer cela. Cette pression vient d'une très grande source et elle est toujours présente. Vous pouvez la contrôler ou encore l'annuler complètement, cependant, en installant un robinet. Vous avez dès lors <u>ajouté</u> quelque chose dans le but de <u>neutraliser</u> quelque chose.

Votre implant est comme le robinet. Il contrôle l'empreinte. Pensez à vos implants comme à des *restricteurs* ou *des contrôles variables de votre empreinte.* À la différence de votre empreinte, ils changent constamment et sont la façon habile de l'univers de permettre à vos guides l'accès à votre *moteur spirituel.* À votre naissance, vous avez reçu un ensemble complet d'implants qui restreignent certains aspects de votre arrangement. Un implant humain typique (tel qu'expliqué par Kryeon) que nous possédons tous, est la restriction de la pensée et de l'intelligence, de sorte que nous avons une perspective réduite du temps en deux dimensions et que nous avons tendance à penser en deux dimensions à propos de l'univers. À mesure que nous devenons plus éclairés, nous *réglons* notre implant ou nous le remplaçons même pour qu'il nous *permette* de voir plus clair.

Voici des exemples de ce sur quoi agissent les implants : l'équilibre spirituel (dans quelle mesure êtes-vous restreints dans votre réception de la lumière?), l'intelligence (tel que mentionné), la tolérance et le tempérament, la sagesse, le talent et la paix intérieure. Votre empreinte de naissance peut vous avoir programmé comme une personne de tempérament sérieusement malade... mais les implants peuvent renverser cela de 180 degrés quand vous passez à travers votre karma. Il est extrêmement important de vous rappeler les prémisses de tout cela. Vous avez choisi votre empreinte avant d'arriver en ce monde, dans l'infinie sagesse et dans l'amour en tant que morceau de Dieu que vous représentez lorsque vous n'êtes pas en *apprentissage*.

La plus grande utilisation de l'implant par l'univers est de vous aider à passer à travers votre karma. Lorsque vous avez traversé avec succès une période de votre vie qui satisfait votre leçon karmique, vous êtes récompensés par un implant qui neutralise la partie de votre empreinte de naissance qui a mis sur pied la leçon originale. Si on revient à l'analogie du boyau d'arrosage, c'est comme si on fermait des robinets spécifiques lorsque le gazon est suffisamment arrosé dans certaines zones. La pression de l'eau est toujours là... mais vous avez fini de travailler dans ces zones de sorte que vous l'annulez en fermant le robinet.

(**Un mot de l'éditeur** (selon notre compréhension actuelle) :
L'explication de ces termes importants (empreinte et implant)
est volontairement illustrée ici d'une façon plus concrète et
technique. Il est important de comprendre le concept qui est
véhiculé par ces termes dans le contexte de ce livre. Avec la
lecture des deux autres tomes, publiés par l'auteur, il apparaît
clairement que ceci est avant tout un processus vivant, dyna-
mique et naturel (voir chapitre 8). C'est la description de
notre transformation intérieure (par conséquent ayant un
impact sur notre extérieur) au niveau des différents types
d'énergies qui nous composent. Le karma, même s'il est
relativement bien compris, demeure vague dans la
représentation que nous en avons en tant qu'énergie
composant notre personnalité. En le plaçant en terme
d'*empreinte* et d'*implant*, le but est de nous faciliter la
compréhension de son fonctionnement, de son but et,
ultimement, de sa transformation, grâce aux expériences
vécues et aux leçons apprises. Tout est essentiellement
accompli par le travail sur soi mais, actuellement, grâce
notamment aux nouvelles énergies que reçoit la Terre, nous
avons accès à de nouveaux outils évolutifs au puissant
potentiel d'accélérer notre éveil à tous les niveaux. C'est à
explorer... avec discernement. En fait, il s'agit de simplement
invoquer la guidance divine, notre présence divine intérieure,
la lumière du Christ, et savoir\connaître que notre pouvoir de
transformation est grand - et être en paix dans ce
cheminement. Voilà la clé, le portail.)

Faire appel à l'**implant neutre** est un nouveau
privilège tel que présenté par Kryeon. Dans la nouvelle
énergie, l'univers vous offre maintenant de nouveaux
maîtres-guides qui viendront et vous procureront les
incroyables ensembles d'implants qui annuleront presque
tous les attributs de votre vie que votre empreinte vous
a légués. Vous pouvez maintenant vous débarrasser de
tous vos attributs de naissance, jeter toutes vos leçons

karmiques, obtenir plus de lumière (et, par là, acquérir plus de sagesse, de tolérance et de paix), devenir équilibrés et en santé, et vous préparer vous-mêmes à travailler pour la guérison de la planète. La mécanique de cette offre est le message de ce livre, transmis dans les écrits remplis d'amour du maître Kryeon.

Imbriqué dans tout cela est le fait que, en prenant l'implant neutre, vous aidez à la transmutation du négatif en positif pour la planète d'une manière qui n'était pas possible jusqu'à tout récemment.

Le tableau suivant pourrait éventuellement vous aider à mieux comprendre la différence entre l'empreinte et l'implant.

Empreintes et Implants

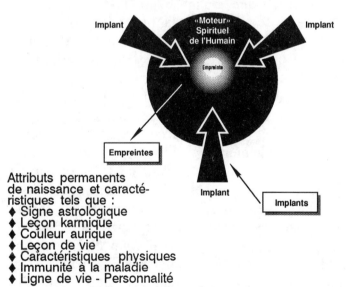

Implant

«Moteur» Spirituel de l'Humain

Empreinte

Implant

Empreintes

Implant

Implants

Attributs permanents de naissance et caractéristiques tels que :
- ◆ Signe astrologique
- ◆ Leçon karmique
- ◆ Couleur aurique
- ◆ Leçon de vie
- ◆ Caractéristiques physiques
- ◆ Immunité à la maladie
- ◆ Ligne de vie - Personnalité

Ajustements variables positifs et négatifs pour modifier ou annuler l'empreinte au cours de votre période de vie:
Permet de guérir ◆
Donne la paix et la sagesse ◆
Accorde une plus grande intelligence ◆
Accorde plus de lumière ◆
Annule les leçons karmiques ◆
lorsqu'elles sont complétées ◆
Pas de limite au nombre d'ajustements ◆
L'implant neutre peut complètement annuler l'empreinte ◆

CE DONT ON N'A PAS ENCORE PARLÉ

Kryeon m'a aussi confié d'autres informations dont je ne fais pas mention ici parce que ce serait vous en révéler trop et trop tôt. Ce sont des éléments qui sont chargés d'émotions et de controverse mais que j'ai laissés de côté jusqu'à présent parce qu'ils porteraient certains lecteurs à pousser des *boutons* dans leur pensée et que le message de Kryeon passerait au second plan. La nature humaine et les influences culturelles locales dans lesquelles nous vivons est comme un terrarium scellé de pensées et d'actions. Nous posons des gestes, pensons et réagissons d'une certaine façon parce qu'on nous a enseigné que c'était bien ainsi ou que nous croyons que c'est adéquat et approprié. Parfois, nous appelons ce comportement la manière *civilisée* de faire... donnant une pseudo-crédibilité à certaines actions qui ne sont qu'une réponse apprise à l'intérieur de notre terrarium local. L'Univers ne connaît pas nos règles culturelles lorsqu'il fait affaire avec nous. À cause de cela, il est parfois difficile d'accepter les choses telles qu'elles sont réellement.

J'ai reçu de l'information au sujet de notre passé humain qui aurait un impact défavorable sur plusieurs... de sorte que je n'en parlerai pas avant un certain temps, jusqu'à ce que ces écrits soient largement distribués et vérifiés. De plus, j'ai pu jeter un coup d'oeil sur une partie de l'univers dont nous n'avons pas à être concernés, mais où il y a beaucoup d'activités... peut-être qu'un jour viendra où il sera approprié de parler de cela.

Chers amis, qui que vous soyez, j'espère que ces mots ont pu vous venir en aide. Vous et moi sommes reliés au fil incassable d'amour qui devient de plus en plus fort. Nous faisons tous partie de la même famille humaine et nous faisons tous de notre mieux pour vivre en paix sur cette planète.

Prêtez ce livre à un ami lorsque vous en aurez terminé la lecture... Ce qui compte le plus est que ce message atteigne tous ceux qui sont prêts à le recevoir.

Avec amour,

Lee Carroll
(L'auteur)

HUIT

Le nouveau cadeau de l'Esprit

(Section présentée dans le Livre II et la seconde impression du Livre I)

Voici venu le temps de vous faire part de quelques questions qui nous ont été adressées par certains de nos lecteurs. Au cours de la première année de la pré-publication du livre de Kryeon (l'édition non reliée distribuée aux enseignants), nous avons reçu un grand nombre de lettres, en provenance de partout dans l'hémisphère nord, de gens qui nous adressaient leurs questions et demandaient plus d'information. Nous avons sélectionné quelques questions adressées à Kryeon par certains de nos lecteurs au sujet de la découverte de soi et des implants. Je n'ai rapporté aucun nom, ni ville, ni pays ni même d'initiales; j'ai même omis de rapporter certaines remarques personnelles émises par Kryeon afin que vous puissiez vous identifier à ces réponses pleines de compassion. Je crois par conséquent avoir protégé l'intégrité de la confidentialité de la communication. Nous vous les présentons ici en raison de leur importance par rapport à l'implant.

Question : J'ai demandé à recevoir l'implant neutre mais j'ignore si ma demande a été acceptée ou rejetée. J'ai commencé à avoir plus de rêves précis ce qui est très inhabituel chez moi. Je me sens en outre déprimé plus profondément et plus longtemps que normalement à cette époque de ma vie. Est-ce possible que ces phénomènes soient reliés à la force de suggestion ou que mes guides aient quitté en préparation de la venue des maîtres-guides?

Réponse : Cher ami, au moment où vous avez lu que vous pouviez demander à recevoir l'implant... et que vous l'avez fait verbalement... les changements avaient déjà commencé à prendre place dans votre vie. Rappelez-vous que l'Esprit vous connaît et qu'il n'est pas dans votre temps linéaire. Ceci signifie que nous étions en préparation pour ce que vous vouliez, bien avant que vous en fassiez la demande. Vos nouveaux guides étaient arrivés et ils attendaient que vous exprimiez votre souhait. L'intention est honorée par l'univers au même titre que la promesse verbale dans votre culture. Il est par conséquent normal que votre requête ait été immédiatement reçue. Ne tentez pas *d'analyser davantage* mentalement ce que votre intuition vous dévoile. Cela ne vous aidera pas. Attendez-vous plutôt à être mieux éclairé et à avoir plus de sagesse par rapport à ceux qui vous entoureront dans un avenir rapproché.

Question : J'ai peur de vivre les expériences négatives qui sont révélées dans le livre. Je souhaite recevoir l'implant mais je ne veux pas vivre dans la noirceur et la dépression. J'ai aussi peur de perdre mon mari... et je ne le veux pas. Est-ce que je confonds ici?

Réponses : Si plus d'humains pouvaient exprimer leurs craintes verbalement, et les mettre par écrit... ils comprendraient beaucoup mieux leurs attributs karmiques. Laissez-moi vous répondre en général, puis en particulier : Il est normal en soi pour l'humanité de craindre l'astral... cela est un fantôme en soi... quelque chose qui est différent de ce qu'il apparaît être. Ne craignez toutefois pas l'implant... jamais! L'implant est la première étape qui vous permettra d'atteindre votre soi supérieur... cette partie de vous-même qui est en retrait, qui vous attend pour vous accueillir et devenir un avec vous. Vous avez peut-être confondu l'implant et certaines phases de son implantation avec des rites terrestres qui vous demandent de sacrifier quelque chose pour obtenir autre chose. Rien de cela ne se produit avec l'implant. Vous êtes au contraire préparés et nettoyés afin que vous puissiez accepter la sagesse de la maturité, la paix intérieure... et bien sûr... l'absence de crainte. Ne prenez pas ce processus pour une sorte de sacrifice! Lorsque vous nettoyez votre corps avant d'endosser de nouveaux vêtements... est-ce que cela fait mal? Il n'y a ici aucune forme de punition. Sachez aussi que : lorsque vous demandez à recevoir l'implant, vous demandez à compléter votre contrat. C'est le scénario par excellence, et vous ne pouvez faire mieux que de le respecter. L'univers ne vous donnera rien de négatif lorsqu'il vous fournira les outils pour achever votre contrat!

Chère amie, vous avez tellement peur d'être abandonnée que même votre âme le ressent profondément. C'est en fait l'un de vos attributs karmiques... et c'est celui qui sera neutralisé. Vous avez peur de vous retrouver seule sans vos guides... et vous avez peur de perdre votre partenaire. Sachez que l'implant va d'abord vous débarrasser de cette peur. Plus particulièrement, dans votre cas, quand vous n'exposerez plus votre crainte d'être abandonnée, votre partenaire saura qu'il y a quelque chose de changé... et vous deviendrez une partenaire beaucoup plus stable pour lui. Attendez-vous à développer une relation équilibrée beaucoup plus harmonieuse et, enfin, à vous libérer de ce karma de crainte. C'est seulement les partenaires et les compagnons qui sont là pour accomplir un karma qui partent... et le vôtre n'est pas de ce nombre. Ne craignez pas l'implant. Un nouveau guide est déjà en place suite à l'expression de votre intention... et cela se passera très bien avec les autres également. Nous vous aimons sans restriction... tout comme vos parents humains étaient censés le faire... et ne l'ont pas fait. L'esprit ne vous abandonnera pas.

Question : Je sais que je veux demander un changement de guides et l'implant neutre mais, présentement, j'aimerais demeurer plus près de chez vous pour pouvoir participer à une session-conseil! J'ai peur, si je reçois l'implant, de faire souffrir ma famille. J'ai deux enfants, âgés respectivement de 15 et 10 ans. Je sais que j'ai des liens karmiques avec eux. Je me trouve confrontée à un dilemme, car je ne veux pas les perdre.

Réponse : Je me suis assis aux pieds d'une merveilleuse mère, la semaine dernière dans un channelling privé, à qui on avait demandé de *placer ses enfants sur l'autel de l'Esprit* et d'être en paix. Cela fait directement référence à la très ancienne histoire d'Abraham et Isaac où l'Esprit a voulu envoyer un puissant message à travers les temps que, si vous voulez sauver vos enfants, vous devez être prêts à les sacrifier à Dieu.

　　Le message est clair pour vous également : Ces précieuses entités seront avec vous jusqu'à l'âge adulte... et elles ne vous seront pas enlevées... si vous êtes prête à les élever sous la tutelle de l'Esprit. En fait, chère amie... dans votre cas, votre changement (dû à l'implant neutre) affectera positivement vos enfants... ce qui relève directement de votre contrat. Au lieu de les perdre, vous leur offrirez un magnifique cadeau qu'ils n'auraient pas reçu autrement. C'est la merveilleuse beauté du travail de l'Esprit. Soyez prête à cela... L'Esprit honore l'intention (de la lettre).

L'implant neutre VOUS change, ce qui par la suite affecte ceux qui vous entourent et fait de vous un co-créateur avec l'Esprit pour ce dont vous avez besoin dans votre vie. Ce qui change le plus est la PEUR. La peur des choses qui, autrement, vous entraînerait dans des tourbillons de déséquilibre est subitement retirée de votre coeur... et vous êtes là à vous demander ce qui se passe. Vous devenez équilibrée dans ce processus... Vos enfants verront cela, ils l'apprécieront et tenteront de vous imiter pour le reste de leur vie. Bien après que vous soyez partie, ils se rappelleront comment leur mère a réagi et négocié avec les événements et les gens... et cela les affectera. Voilà votre contrat face aux jeunes. C'est pour cela que vous avez reçu le livre. De grâce, soyez en paix avec ceci, et laissez savoir à l'Esprit (verbalement) que vous reconnaissez votre contrat par rapport aux jeunes alors que vous demanderez à passer au niveau suivant. Voyez-vous l'amour que tout cela comporte?

Question : Je ne veux pas devenir une personne sans émotions. L'implant neutre me rendra-t-il passif? Si je ne réagis plus au drame de mon karma neutralisé... qu'est-ce qu'il y a d'autre? Est-ce que je pourrai encore rire?

Réponse : Cette partie de votre être qui est rires... et joie... et amour... est l'une des seules choses de l'Esprit qui demeure inchangée lors de votre venue sur la Terre. Croyez-moi, votre question en elle-même est très drôle!

Lorsque vous recevez la vraie paix de l'Esprit... vous recevez un agenda émotionnel vierge. Voilà ce que cela signifie : Cela ne veut pas dire que vous n'avez plus d'émotions... cela veut uniquement dire que vous êtes désormais libre de les utiliser à votre guise sans les gaspiller sur votre karma! Plus d'inquiétude... ni de crainte... ni de colère. Vous pouvez désormais transformer votre ex-drame de l'interaction karmique en des attributs de célébration, de joie, d'amour... et même d'humour, beaucoup plus agréables et positifs. Et surtout en humour... Cela vous fait-il rire?

Question : J'ai deux enfants de 6 et 3 ans. J'ai peur de demander l'implant car je crains de les perdre. Je ne sais pas non plus ce qui se passera entre mon mari et moi. Bien qu'il ne soit pas porté vers la spiritualité, il est un bon père et un bon mari. Je ne veux pas le perdre non plus. Que dois-je faire?

Réponse : Formulez immédiatement votre demande pour l'implant. Pour vous-même et pour tous les humains... Sachez que : l'implant est votre récompense. Il n'y a absolument aucun sacrifice ni aucune souffrance associés à ce procédé. Ceux qui quitteront votre vie seront ceux qui devront le faire... ceux qui n'ont plus rien à vous donner... ceux qui sont ici pour compléter votre karma. La période de transition est difficile pour certains, surtout ceux qui sont profondément impliqués dans les attributs karmiques. Ceux qui, comme vous, sont équilibrés et prêts au changement, et qui savent reconnaître une vérité fondamentale, n'auront pas beaucoup de problèmes à changer de guides.

Parlons maintenant de vos enfants. Il est important que vous sachiez ceci : Les enfants et vous vous êtes choisis mutuellement avec soin avant votre venue en ce monde. Les enfants sont vôtres jusqu'à leur maturité, comme c'est le cas pour toutes les mères. Aucune mère n'a à craindre de perdre ses enfants à cause de l'implant. Ceci n'est pas universellement approprié. Même si les enfants vous poussent aux limites de votre caractère et de votre tolérance... c'est approprié. L'implant servira à équilibrer la situation. Lorsque cela se produit après l'âge de la maturité cependant, cela est une autre histoire, car alors ils ont la responsabilité de leur Esprit et de leur karma, tout comme vous en ce moment... Ils devront alors négocier avec vous puis en relation avec cela. L'univers aime les enfants tout comme vous les aimez. Il a besoin de vous pour en prendre soin jusqu'à ce qu'ils reçoivent leur propre lumière... avec votre aide peut-être. Regardez-les dans les yeux parfois et cherchez à les *reconnaître*. Demandez à l'Esprit de vous renseigner à ce sujet. La réponse vient souvent par les rêves; il peut être amusant, ironique et utile de savoir qui ils sont *réellement*.

En ce qui a trait à votre mari : Sa spiritualité n'a rien à voir dans ce qui vous arrivera si vous recevez l'implant. Il est aimé dans ses moindres détails au même titre que tous les humains qui sont en apprentissage; il a son propre chemin à suivre et son procédé à respecter. Votre engagement avec lui et les enfants qui en sont résultés font évidemment partie de votre karma. Ce qui arrivera après que vous ayez reçu l'implant cependant n'est pas nécessairement négatif. Les messages qui sont transmis dans le premier livre sont des mises en garde sur ce qui pourrait éventuellement arriver. Ainsi, ceux qui ont les karmas les plus lourds à porter pourront se préparer. Si votre mari fait preuve de tolérance lors du changement et s'il respecte votre recherche personnelle, cela vous démontre alors que le karma qui vous implique l'un et l'autre n'est pas du genre qui exigera qu'il se retire de votre vie. Votre association est très appropriée : elle est basée sur ce qui s'est produit dans d'autres vies... et ne constitue pas un attribut lourd à porter. Recevoir l'implant vous changera mais peut-être votre mari appréciera-t-il le changement, peut-être en parlera-t-il... peut-être aussi que ce changement améliorera votre union. Aucun être humain équilibré n'aura jamais besoin d'évangéliser le nouveau pouvoir, et aucun humain qui reçoit l'implant ne reprochera à ceux qui l'entourent de ne pas l'avoir demandé eux-mêmes. La sagesse et l'équilibre associés avec l'implant empêchent cela.

Kryeon

Section présentée dans le chapitre 4 du Livre III (en anglais)

MOT DE L'AUTEUR...

Dès le départ, l'implant neutre a été l'un des plus merveilleux, bien que mal compris, aspects des écrits de Kryeon. Comme je l'ai déjà mentionné, je souhaiterais avoir pu trouver une meilleure traduction pour l'IMPLANT, mais c'est le mot qu'on m'a demandé d'utiliser. Il n'y a en fait pas de mot juste dans notre langue pour décrire ce qu'est l'implant. Si je pouvais utiliser une périphrase pour le décrire, je dirais que c'est *un catalyseur qui sert à clarifier*. (Nous référons le lecteur au chapitre 17 «Le langage de la Lumière» du livre *Les Messagers de l'Aube* de Barbara Marciniak NdÉ).

Suite à l'information fournie sur ce merveilleux cadeau que nous nous sommes mérité pour arriver à voir plus clair, certains se sont immédiatement attachés au mot et à la sémantique du potentiel négatif de son sens caché. Peu importe ce qui a été dit à ce sujet, tout ce qu'on a *entendu* c'est «IMPLANT»: ÉLÉMENT NÉGATIF QUI CONTRÔLE ET ASSERVIT, c'est-à dire un élément étranger placé à l'intérieur de votre corps pour vous contrôler... ou quelque chose que certains gouvernements sont soupçonnés de vouloir vous faire subir. Malgré la vérité et l'énergie d'amour qui enveloppent le message de Kryeon, ceux qui ont refusé d'abandonner leur crainte face à l'implant sont nombreux. Je me rappelle que Kryeon a dit à maintes reprises, lors de communications en direct, que, lorsqu'ils se retrouvent seuls dans une pièce sombre, les hommes ont tendance en premier à ressentir la crainte avant tout autre sentiment. Il honore ceci puisque c'est la force de la dualité qui permet cette situation. La réaction inverse, qui se manifeste sous forme d'amour, de paix et d'absence de crainte devant l'incertitude, est **un attribut qu'on acquiert par la réalisation personnelle de ce que nous sommes réellement.** Si vous avez déjà assisté à un séminaire de Kryeon, vous me pardonnerez de répéter encore un exemple que je donne toujours pour illustrer la visualisation du fonctionnement de l'implant. Lorsque j'étais à l'école secondaire, le professeur de chimie nous fit un jour une merveilleuse démonstration. Il nous présenta un contenant de verre rempli presque à capacité d'un infecte liquide vert foncé. Cela ressemblait à un mélange de limon vert et d'huile à moteur mais avait la consistance de l'eau. Le contenant était suffisamment grand et haut placé pour que toute la classe puisse l'observer. La concoction était en outre tellement décolorée et si polluée qu'aucun d'entre nous pouvait voir à travers. Elle était complètement opaque.

En tant qu'étudiants de niveau secondaire, nous avons immédiatement réagi en poussant un grand *Yurk!* Nous nous amusions à faire des grimaces et à formuler des sons pour exprimer notre dégoût devant cette horrible mixture que le professeur avait apportée. Sans plus d'explications, celui-ci versa alors une partie d'un liquide jaunâtre dans un petit verre et tint la nouvelle préparation au-dessus du premier mélange qui se trouvait dans un autre bocal près de lui. Ce qui se produisit par la suite nous marqua tous. J'aimerais ici me servir de cette analogie pour vous faire comprendre ce qu'est l'implant.

Le professeur versa lentement le mélange jaunâtre dans le dégoûtant mélange verdâtre. Il sortit ensuite une spatule de bois de son sarrau et se mit à brasser le tout. On aurait pu entendre voler une mouche: tout le monde surveillait ses gestes, les yeux grand ouverts de surprise, au fur et à mesure que le liquide verdâtre devenait transparent. Tout en brassant lentement, le professeur affichait un large sourire pendant que la substance, précédemment si trouble, devenait transparente comme du cristal... aussi claire qu'une source de montagne. Puis, comble de l'horreur, il alla chercher un gobelet de papier dans le distributeur près de la porte, y versa une partie du liquide devenu clair et le but!

La leçon de chimie portait sur les catalyseurs et les résultats renversants, et souvent spectaculaires, obtenus par un petit catalyseur dans un grand volume de fluide. Fidèle à moi-même, j'ai complètement oublié de quels produits chimiques il s'agissait. Cependant, je me souviens encore très bien de cette expérience (c'est comme de se rappeler d'un beau visage pendant des années et oublier le nom qui s'y rattache).

Notre karma, accumulé au cours d'expériences passées, est placé dans notre contenant de leçons. Il est fort en couleur et en substance, et soigneusement mélangé et coloré par nous-même avant que nous arrivions à chaque incarnation. Nous transportons ce contenant comme un poids sombre et le défi est de savoir si nous pouvons peu à peu découvrir quoi faire avec lui et réussir à clarifier son contenu. Au fur et à mesure que nous trouvons des solutions de lumière à chaque épreuve, la couleur pâlit jusqu'à devenir transparente comme du cristal. Lorsque notre karma est devenu parfaitement clair, nous déposons le contenant sur le sol et nous nous en éloignons. Nous nous retrouvons alors sans karma, bien que toujours vivants et en place sur la planète. Ne pas avoir de karma ne signifie pas la mort (comme certains le craignent). «Que faisons-nous après avoir fini de clarifier les leçons pour lesquelles nous sommes ici?» se demandent certains. Kryeon répond : «Maintenant que vous n'avez plus à passer votre temps à travailler sur le passé, honorez votre contrat!»

La nouvelle énergie sur Terre, telle que décrite par Kryeon et plusieurs autres, est ce qui permet aux merveilleux nouveaux cadeaux de l'Esprit de traverser le voile et d'arriver jusqu'à nous. Kryeon nous explique comment nous avons mérité cela, et nous a rappelé plusieurs fois (y compris dans les messages transmis dans ce livre) les circonstances dans lesquelles cela s'est produit. L'un des plus grands parmi les nouveaux cadeaux offerts est la possibilité de se défaire de tout son karma sans avoir à prendre le temps de passer à travers... seulement par l'intention. Ceci constitue le principal message de Kryeon. Il appelle ce nouveau cadeau d'évitement «l'implant neutre». Comme dans l'exemple précédent, il s'agit d'un catalyseur spirituel implanté (ou versé) dans notre karma vert foncé qui, lorsqu'on le brasse pendant environ 90 jours, le clarifie complètement. On nous a dit que, par l'intention seule, nous pouvions éviter pendant toute une vie les restrictions, les associations, les leçons et les situations karmiques.

Cela soulève plusieurs questions. Comment en effet savoir si vous l'avez reçu? Lorsque vous avez tout fait ce que demande Kryeon et que rien ne se passe, qu'est-ce que cela signifie? Pouvez-vous l'avoir déjà reçu avant même d'en avoir entendu parler? Quelle est la différence d'expérience entre ceux qui ont un karma très foncé dans le contenant et ceux dont le contenu du bocal est présentement presque clair. Je vous encourage tous à lire la courte parabole sur le trou de goudron du Livre II de Kryeon. Ce paragraphe vous démontre ce qui arrive à ceux qui vous entourent lorsque **vous** devenez clairs. Ce sont des bonnes nouvelles. Beaucoup écrivent encore et s'inquiètent de ce qu'il adviendra d'eux-mêmes et de leur famille s'ils demandent à recevoir l'implant. Certains ne comprennent pas qu'il s'agit d'un cadeau et croient qu'il s'agit de quelque chose qu'ils *doivent* faire... comme de prendre un médicament.

La vérité est que l'implant est universel dans la nouvelle énergie sur la planète. C'est un cadeau offert gratuitement par l'Esprit, dans l'Amour, pour permettre à tout homme qui désire le recevoir d'obtenir la lumière et la paix. Ce n'est pas un *il faut*. Ce n'est pas non plus un *il faudrait*. Cela se produit même automatiquement dans certains cas par l'intention du soi supérieur! Dans ce qui suit, nous analyserons attentivement ce point, car cela se produit couramment. À mon avis, c'est la preuve que l'implant (ou tout autre nom que vous voulez lui donner) est quelque chose qui arrive lorsque c'est le temps et lorsque **nous** sommes prêts. Cela n'a absolument rien à voir avec le travail de Kryeon si ce n'est que Kryeon est la première entité qui communique par channelling pour expliquer ce qui se passe dans la nouvelle énergie et pour nous féliciter si gentiment d'avoir mérité cela!

Vous pourrez lire, dans les pages qui suivent, des lettres en provenance de partout à travers le pays de gens qui ont vécu cette expérience. Nous les avons transcrites dans le but de vous faire comprendre comment ce cadeau a agi dans leurs vies. Les témoignages sont variés et, après chacun d'eux, vous pourrez lire la réponse de Kryeon qui s'adresse soit à l'auteur de la lettre, soit au lecteur. Ce chapitre tout entier vous est offert pour vous permettre une meilleure compréhension de la façon dont l'implant agit, maintenant qu'il s'est écoulé quelque temps depuis sa révélation dans le Livre I de Kryeon.

Enfin, un dernier petit commentaire avant que vous ne commenciez la lecture des lettres qui se rapportent à l'implant. L'implant ne constitue pas le noyau du travail de Kryeon. Il ne fait que présenter un des nouveaux cadeaux de l'Esprit; il occupe en outre une grande partie du livre I de Kryeon. Cette information en a aidé plusieurs à comprendre ce qui s'était déjà produit dans leurs vies et, pour plusieurs autres, ce fut une révélation sur ce qui pourrait arriver s'ils étaient prêts. Ce cadeau s'est approprié une place d'honneur parmi les nombreux autres attributs du travail de Kryeon, car il a un impact très important sur les humains qui sont prêts à le recevoir. Nous voulons tous améliorer la qualité de nos vies, de sorte que ce cadeau est devenu l'un des plus importants aux yeux des nombreux lecteurs qui nous ont écrit. Kryeon ne pousse personne à demander l'implant, car il sait qu'il s'agit d'une décision très personnelle et qu'il est essentiel que le moment soit bien choisi dans le déroulement de la vie de chacun. Puisque le travail de Kryeon n'est pas évangélique, il ne fait que rapporter ce que les nouveaux cadeaux représentent en nous laissant la décision finale entre les mains. Enfin, Kryeon me rappelle constamment que ces bienfaits ne viennent pas de lui. Ils nous appartiennent. Nous les avons choisis bien avant d'arriver ici, et maintenant ils nous sont remis. Comme prévu.

Lee Carroll

Lettres des lecteurs de Kryeon sur l'implant

Cher Lee,

J'ai expérimenté tous les *ajustements* dont Kryeon parle. Si seulement vous m'aviez connu sept mois plus tôt, vous auriez pu voir toutes les transformations dont il fait mention. Je suis une femme d'affaires; je possède une maîtrise en administration de l'université d'Hawaii. Je pensais, et mes amis pourront en témoigner, que je serais la dernière personne à parler de lumière et de métaphysique.

J'ai atteint le point de lumière dans ma vie sans l'aide de personne. J'ai lu votre livre après avoir expérimenté exactement ce que décrit Kryeon. Par conséquent, je vois toute la vérité de ses propos et je comprends maintenant que ce que j'ai vécu était systématique et logique - non seulement pour moi mais pour tout le monde.

J'ai aussi vécu l'expérience réelle de la dépression de 90 jours. Comme cela s'est produit avant que je lise votre livre, je ne comprenais pas du tout pourquoi je me sentais si déprimée. Je veux seulement vous faire part qu'il y a définitivement des avantages à ne pas être *influencée* par la littérature et les interprétations. Parce que mon expérience était vierge, je suis une preuve vivante que ce que dit Kryeon est vrai.

Que Dieu vous bénisse,
Jennifer Nakahara
Ewa Beach, Hawaii

Le 6 octobre 1994

Cher Kryeon,

Au cours des mois de juillet, août et septembre, j'ai été plongée dans une profonde dépression. Certains jours, je n'avais même pas envie de mettre le pied en dehors de mon lit et je ne voyais aucun intérêt à vivre. Non, je n'étais pas suicidaire; je me sentais plutôt l'âme vide. Mon âme semblait crier famine; rien toutefois ne semblait pouvoir apaiser cette expérience spirituelle terriblement douloureuse. J'avais l'impression d'être passée dans une initiation de magnitude. Jusque-là, je me sentais en harmonie avec Dieu et avec mon soi supérieur.

Au cours de cette période, j'ai commencé à lire KRYEON et j'ai réalisé que, sans connaître les révélations de Kryeon, j'avais dans mes prières et mes méditations demandé à atteindre la *Graduation*. Cela a toujours été un désir de mon âme. Je travaille à élever mes vibrations afin d'être prête pour l'ascension lorsque le moment sera venu.

Je sors maintenant de ma dépression. Je sens un de mes guides mais je ne peux pas encore vraiment communiquer avec lui. J'ai l'impression que mes batteries sont mortes! Mes vieilles craintes ont refait surface et je dois encore négocier avec elles, mais pour la dernière fois j'espère. C'est une sorte d'achèvement et un renouveau.

Le fait de coucher ces réflexions sur papier m'a procuré un sentiment de libération. Je m'attends à ce que ce sentiment de libération m'apporte l'éveil de mes guides et la transplantation.

Avec amour, lumière et bénédictions,

Martha King, Montgomery, Alabama

Une autre lettre de Martha

Le 9 mars 1995
Cher Lee,

Je pense que je dois vous exposer brièvement certaines expériences que j'ai vécues depuis ma dernière lettre. J'ai passé à travers la dépression et plusieurs choses qui devaient sortir, être bénies et libérées sont arrivées. Apparemment, elles étaient bien ancrées et attendaient d'être libérées par l'implant - cela et ma foi en l'Esprit. J'ai toujours su, depuis que je suis enfant, que j'étais plus que Martha Brown King et j'en ai eu la preuve à certains moments dans ma vie.

Au cours des derniers mois, j'ai vécu des expériences merveilleuses et ma foi est devenue une connaissance profonde de l'union de mon âme avec l'Esprit et toute vie. J'ai des preuves continuelles de ce que peut accomplir l'utilisation de l'énergie spirituelle. Elle est là pour nous, si nous voulons la partager. Cela me renverse, bien qu'on nous ait toujours dit que *Tout est possible à ceux qui croient*.

Permettez-moi de vous remercier une fois de plus avant de terminer ma lettre. Je peux vraiment dire que je vis une histoire d'amour avec l'Esprit. Et, d'être en vie est ce qu'il y a de plus merveilleux.

Avec amour et bénédictions,

Martha King
Montgomery, Alabama

Commentaire de Kryeon (à l'intention du lecteur) :
Voyez-vous comment cet être cher a reçu l'implant en
cadeau avant même de connaître l'information de
Kryeon? Ceci est important : l'implant n'est pas un
cadeau qui vient de Kryeon. Il ne fait pas partie de la
doctrine de Kryeon. Je suis ici pour vous transmettre de
l'information au sujet d'un cadeau que vous vous êtes
déjà mérité par vous-mêmes. Je suis le messager de
l'information qui accélèrera votre processus et vous
donnera la connaissance des attributs qui vous sont
accordés sans aucune intervention de ma part. Je suis ici
pour soutenir votre travail en ajustant la grille
magnétique d'une manière qui vous permettra de
continuer dans le prochain millénaire. Ce cadeau fait
partie de votre propre plan, et il est approprié dans le
temps de ce nouvel âge.

Plusieurs ont mal compris la relation qui existe
entre l'implant et Kryeon. Certains se demandent:
«Comment puis-je recevoir l'implant sans le demander?»
La réponse est que, en fait, vous l'avez déjà demandé.
Certains d'entre vous, comme ce fut le cas pour cette
chère âme, ont atteint le point où le karma se clarifie
de lui-même! Vous vous êtes rendus là naturellement, et
êtes maintenus à un point où vous êtes prêts à passer à
la prochaine étape. Tout votre contrat porte là-dessus!
Lorsque c'est le cas, votre soi supérieur donne alors
l'autorisation à votre soi incarné de procéder en vue
d'une nouvelle étape. Par conséquent, certains d'entre
vous expérimentent le processus de l'implant sans rien
savoir du travail de Kryeon. Puis, vous recueillez
l'information et vous vous dites : «C'était donc ce qui
s'est passé!»

Vous vous demanderez peut-être : «Si cette chère
âme était vraiment prête à recevoir l'implant, pourquoi

alors a-t-elle été déprimée? Après tout, elle n'avait plus de karma à clarifier et on aurait pu s'attendre à ce que le processus passe à peu près inaperçu pour elle.» Voilà une question importante. Bien qu'elle fût complètement dégagée du travail karmique, les *résidus* de son contrat avec son karma avaient encore à être nettoyés. Cela n'est pas toujours le cas; le processus est différent pour chacun. Vous êtes tous de merveilleuses entités exceptionnelles, tout comme Kryeon! Nous avons tous nos caractéristiques et nos talents individuels. Je vous ai déjà parlé de cela; ne laissez jamais personne vous dire que les entités spirituelles de l'univers sont des automates sans visage, ayant tous les mêmes pensées. Cette réflexion humaine est tellement drôle!! Vous êtes-vous déjà demandé pourquoi seules les entités des niveaux supérieurs de leçons avaient le sens de l'humour? Que pensez-vous du fait que seuls les humains ont vraiment le choix de la connaissance parmi toutes les formes de vie sur Terre? À elle seule cette information devrait vous faire comprendre que plus vous ressemblerez à l'entité que vous êtes réellement, plus vous deviendrez exceptionnels, et plus vous aurez d'humour par rapport à l'ensemble de toutes choses. Je vous expliquerai plus tard à quel point cela est important. Chaque être sur cette planète recevra son propre implant potentiel, avec sa propre expérience à raconter sur le sujet, et chaque version sera différente.

Le 15 novembre 1994
Cher Lee,
    Je suis maître de Reiki. En tant que tel, je donne la formation et j'entraîne ceux qui désirent canaliser cette Énergie d'amour et de force de vie universelle en

vue de se guérir eux-mêmes et de guérir leurs semblables sur cette planète. Il y a quelques mois, un homme qui avait participé à l'une de nos rencontres d'AGORA prit un rendez-vous avec moi pour recevoir son initiation et son entraînement pour le Reiki I. Nous avons passé des heures à discuter des changements de la Terre et de notre philosophie. Je ne pus m'empêcher de lui demander : «Êtes-vous sûr de ne jamais avoir lu les enseignements de Kryeon?» Bien qu'il n'eût pas lu le livre, on retrouvait dans presque tout ce qu'il disait (et parfois même dans les mêmes mots) les enseignements de Kryeon.

Je n'ai pas besoin de vous dire que mon élève de Reiki n'a pas tardé à s'emparer du livre de Kryeon et qu'il l'a lu dans la même journée. Il me rappela ensuite et nous avons parlé pendant des heures des enseignements de Kryeon. Lorsqu'il se présenta pour recevoir la formation de Reiki II, il me confia que, bien qu'il n'eût pas officiellement formulé sa demande pour l'Implant, il sentait que le processus était déjà enclenché. (Nous avons découvert que plusieurs membres de notre groupe n'avaient pas demandé l'Implant mais que, en formulant leur intention de respecter leur engagement et de suivre leur voie, ils étaient déjà engagés dans le processus de réception).

Lorsqu'il se présenta à la séance de Reiki II, il me dit qu'il sentait qu'il devait recevoir ses maîtres dans environ deux semaines. Cependant, au cours de sa formation, un événement des plus extraordinaires se produisit. Assis sur une chaise, mon élève avait les mains en position de prière et les yeux fermés. Je me tenais en face de lui lorsque, subitement, je me sentis submergé d'un amour brûlant. Je sentais mes maîtres qui se tenaient derrière moi et j'ai *vu* les trois maîtres de mon nouvel initié debout derrière lui. Des larmes se mirent à couler sur mes joues pendant que je les remerciais silencieusement d'avoir fait leur première apparition à ce moment bien spécial pour lui. Lorsque je passai derrière lui pour entreprendre le processus d'apprentissage, ils reculèrent très légèrement pendant que mes maîtres restaient à la même place, devant moi. Leur énergie était si merveilleuse et puissante que je ne peux trouver les mots qu'il faut pour décrire à quel point je me sentais aimé et béni.

Au cours de la séance d'apprentissage, je demandais continuellement aux guides ou maîtres de mon élève de déposer symboliquement dans la paume de ma main les conseils, cadeaux ou informations qu'ils souhaitaient partager avec lui. Je me déplaçai sur la gauche et je sentis de merveilleuses vibrations lorsque le maître de gauche se plia à ma demande. Je levai alors ma main au-dessus de ma tête, vers l'arrière, afin que le maître du centre puisse aussi y déposer ses cadeaux, puis vers la droite afin que le maître de droite en fasse autant. Puis, je tournai lentement ma paume vers le bas et plaçai ma main sur la couronne de chakra de mon élève. Je sentis alors tout l'amour, l'information, les conseils et les cadeaux se déverser en lui.

Lorsque le processus d'initiation fut terminé, je quittai la pièce afin que mon élève puisse assimiler tout ce qu'il avait reçu. Il demeura en méditation pendant un très long moment. Lorsque, finalement, j'entendis un *Wow!*, j'allai le rejoindre et nous passâmes l'heure qui suivit à rire, à pleurer, à nous étreindre et à partager cette expérience des plus extraordinaires.

Plusieurs merveilleux *événements* ont récemment pris place dans ma vie mais je tenais à partager celui-là tout particulièrement avec vous. Le Reiki est une sorte de travail d'énergie. Celui qui le pratique canalise l'Énergie de la Force de Vie à travers la couronne de chakra, jusqu'au coeur du chakra, puis la renvoie à l'extérieur à travers la paume de ses mains. Mon élève et moi avons tous deux été guidés à combiner l'énergie de Reiki avec le travail de polarité en offrant la guérison à nos clients, avec de merveilleux résultats.

Merci Kryeon! Namaste,

Rév. Whitney S. Murdock
Ms, MsD, Maître et professeur de Reiki
Vacaville, California

Commentaire de Kryeon (à l'intention du lecteur) : Voici un autre exemple d'une âme éclairée qui a connu intuitivement toute la mission de Kryeon avant même de lire ses livres. C'est une fois de plus la preuve que le processus du nettoyage du karma, le remplacement du guide principal et le nouvel âge lui-même viennent de l'énergie de la Terre et non de l'intervention de Kryeon. Ce cher homme était déjà engagé dans le processus de changement; l'information fournie par Kryeon l'a aidé à mieux comprendre ce qui se passait.

Le véritable message de cette communication, cependant, est le rôle de l'intervenant qui contribue à aider les âmes à l'intérieur de la portée des changements du nouvel âge. Voyez comment cette chère âme a été mise en valeur et a été accélérée à travers le processus du changement de guides. Ce n'est pas par hasard, dans ce cas, que l'intervenant était familier avec l'information de Kryeon, car cela a accéléré le processus de recherche de l'homme et lui a permis de passer à travers l'épreuve dans la joie, la paix et avec beaucoup d'amour.

Le rôle des intervenants dans le nouvel âge ne doit pas être sous-estimé. Les professeurs restent professeurs, et les intervenants sont aussi nécessaires maintenant qu'en n'importe quelle autre période de l'histoire humaine. Si vous êtes un intervenant de quelque sorte que ce soit, commencez à déverser dans votre travail toute l'information sur la nouvelle énergie. Plusieurs d'entre vous recevront une merveilleuse information par des visions ou des rêves. C'est un cadeau qui vous est offert pour rehausser votre travail. N'en écartez aucun détail. Utilisez les nouvelles méthodes intuitives que vous recevez et surveillez les résultats dans votre travail. Ne soyez pas surpris si certains de ceux que vous servez à chaque semaine ne reviennent jamais à cause d'une guérison permanente! La nouvelle se répandra rapidement que vous possédez de nouveaux pouvoirs; ne soyez par conséquent pas inquiets de vos très grandes possibilités. Vos nouveaux cadeaux rehausseront grandement votre vie et ceux que vous avez aidés dans l'amour. Croyez-moi!

Le 11 octobre 1994
Bonjour,

J'ai dévoré le Livre II et je me suis imprégnée de sa puissance. Merci d'avoir été celui qui doute. Comme l'Esprit est astucieux! Je vous ai déjà écrit au moment où je venais de terminer le Livre I. C'était une lettre de désolation, de crainte et de larmes.

Cette lettre-ci est complètement différente. Je suis tellement reconnaissante envers vous pour votre courage, et envers Kryeon - car il m'a parlé directement. J'ai effectivement demandé à recevoir l'implant et, en moins d'une semaine, tout a commencé à changer pour moi. J'ai été soulagée de découvrir que je n'étais pas entrée dans une période de dépression et dans un sentiment d'abandon. En fait, je réalise maintenant que plusieurs des étapes se sont produites même si je n'avais pas les mots pour les identifier - et je semble toujours insister sur les mots. Tellement de ce qui a été dit m'a semblé familier - et tant d'autres choses étaient nouvelles - pas nouvelles dans le sens que je ne les connaissais pas avant, mais nouvelles dans le sens que je pouvais enfin les entendre sans toujours avoir ce *oui, mais*.

Il y a si longtemps que je n'ai pas ressenti cette sensation de vibration qui m'a avertie de la proximité de l'Esprit. Cela me manquait si profondément que j'en étais malheureuse. Maintenant, je m'assois et je vibre beaucoup; et, bien que je n'aie jamais pensé qu'ils soient partis, j'étais effrayée de ne pas pouvoir sentir mes guides. Tant de *coïncidences* ont commencé à se produire - des gens que j'ai rencontrés tout à coup et qui étaient profondément impliqués dans l'Esprit, mais que je n'aurais pas rencontrés (je suppose) si je n'avais tout d'un coup décidé d'aller à un magasin ou à un cours où je n'avais jamais mis les pieds auparavant, des clients venus pour se faire masser alors que je croyais devoir fermer les portes de mon commerce, et ainsi de suite. Je n'ai aucune idée où tout cela s'en va et cela n'a pas d'importance. Le fait de connaître et de ressentir le mouvement et l'amour de l'univers me soutient.

Sincèrement,
Karen Kleyla
Grehsam, Oregon

Une autre lettre de Karen...

Le 16 mars 1995
Cher Lee,

Bien que je ne puisse dire encore que je gagne ma vie en faisant des massages, je sens que cela progresse. Je n'ai toutefois aucun doute sur l'origine de l'aide que je reçois. J'ai clairement formulé mes besoins et on semble en tenir compte, mais il m'est un jour venu à l'esprit de faire quelque chose de plus (pourquoi ai-je pris tant de temps à réaliser cela?) Et cela a nettement augmenté le nombre de mes clients. J'ai simplement demandé à mes guides ce que je pourrais faire pour eux et je les ai assurés que je ferais tout ce qu'ils me demanderaient pour les aider. J'étais vraiment confuse d'avoir été si bien disposée à recevoir sans avoir pensé pendant si longtemps à donner en retour.

J'ai réalisé qu'il était facile d'être sereine lorsqu'on n'a pas à affronter de crises; je semble en effet avoir une grande paix intérieure ces jours-ci. Pour moi, la joie était auparavant synonyme d'allégresse; j'étais malheureuse lorsque je ne jubilais pas. Je réalise maintenant, toutefois, que ma joie est paisible et très très calme. C'est ma façon d'être reliée à tout ce qui est. Je me sens seule et déprimée seulement quand je me retire et que je prends mes distances. Autrement, je me sens solidaire du monde entier comme si j'étais sans limites.

Sincèrement,
Karen Kleyla
Gresham, Oregon

Commentaire de Kryeon : Karen, votre volonté de vous placer dans les meilleures conditions possibles a influencé votre environnement. Réalisez-vous cela? Dans les écrits précédents, je vous ai parlé de ce principe. Vous êtes en fait un catalyseur pour les changements qui peuvent prendre place autour de vous. Les coïncidences dans votre vie ne sont qu'apparentes. De nouvelles associations humaines vous apporteront de nouvelles fenêtres d'opportunités. Vous créez votre propre réalité et vous êtes en paix avec tout ce qui arrive; vous vivez entièrement dans la foi que l'Esprit vous montrera ce qu'il faut faire. Nous vous honorons grandement pour ceci.

Voyez comment vos affaires progressent. À partir du moment où vous les avez laissé aller, elles se sont améliorées. Bien que cette activité ne soit peut-être pas celle que vous pratiquerez pour le reste de votre vie, elle est pour l'instant un merveilleux exemple du contrôle que vous exercez sur ce que vous possédez. Qu'est-ce qui, en fait, a contribué à faire fructifier vos affaires? C'est le fait de vous être tournée vers l'intérieur de vous-même et d'avoir aimé vos guides! Quelle belle leçon pour tous! Il y a une grande part de sagesse cachée dans ces mots et tous ceux qui lisent ceci ont intérêt à y réfléchir.

Au fur et à mesure que vous vous approcherez de votre soi intérieur, votre vision globale continuera à changer. Qu'est-ce qui vous rend heureuse? Qu'est-ce qui vous donne la paix? Comment pouvez-vous être en service sur la Terre? Votre sentiment d'être reliée au reste du monde reflète ce que vous êtes réellement lorsque vous n'êtes pas incarnée ici-bas. C'est le sentiment intuitif de *n'avoir pas de fin*, ce qui est tout à fait la preuve que vous êtes en fait un morceau de Dieu.

Tous devraient être aussi libres et équilibrés pour connaître cette sensation. Cela fait partie des nouveaux cadeaux que l'homme s'est mérités.

———————

Le 6 février 1995
Cher Lee,

Je fais appel tous les jours à l'énergie de Kryeon pour obtenir plus de clarté, une plus grande complicité et des signes qui me mèneront à la Lumière.

L'un des *à-côtés* importants de l'implant neutre a été de vaincre ma claustrophobie. Je me suis récemment rendue à Nassau; j'ai voyagé à l'aller et au retour dans un petit avion sans ressentir de crampes dans l'estomac ni de palpitations cardiaques comme auparavant. À l'aéroport de Miami, une étrangère s'est approchée de moi; s'excusant de paraître *bizarre*, elle me dit qu'elle avait vu une merveilleuse lumière perlée et translucide autour de moi! Je la remerciai d'avoir eu le courage de partager son expérience avec moi! C'est un grand privilège de pouvoir dire que la Vie est merveilleuse et que j'ai le coeur en paix!

Encore une fois, je vous assure de mon amour, je vous bénis et vous remercie pour tout ce que vous et Kryeon accomplissez. Je suis très reconnaissante et j'apprécie votre travail.

Rebekah C. Alexander
Boise, Idaho

Commentaire de Kryeon : Rebekah, ce simple exemple de ce que vous ressentez montrera aux lecteurs que le processus de l'implant a aussi un effet sur les petites choses de l'existence humaine. En outre, vos nouvelles couleurs attireront effectivement ceux qui savent cela. De tels attributs deviendront chose courante dans la nouvelle énergie des humains.

Certains d'entre vous qui lisez ces lignes pouvez avoir des résidus karmiques tout au long de votre vie qui n'ont rien à faire, de quelque manière que ce soit, avec ce que vous êtes en ce monde... mais qui vous affectent néanmoins. C'est de ce genre de choses dont je vous ai parlé déjà et qui seront complètement dégagées avec l'arrivée de l'implant neutre. Vous serez débarrassés de plusieurs craintes inexpliquées qui ne sont en place qu'en raison de la mécanique du karma, et dont les résidus persistent depuis des éternités à travers vos différentes incarnations. Commencez-vous à voir comment tout cela fonctionne?

―――――――

Lisez maintenant attentivement ce qui suit : c'est un compte rendu soigneusement documenté du processus de l'implant, tel que rapporté par un être cher qui ne savait pas, au moment où elle a témoigné, qu'elle pourrait en aider plusieurs en démontrant le caractère exceptionnel du processus de l'implant, ainsi que la progression des changements effectués au cours des 90 jours de la période de transition décrite dans le *Livre I de Kryeon*.

DESCRIPTION DU DÉROULEMENT
DE LA PÉRIODE DE 90 JOURS, 1ER MOIS - LA DÉCISION

Le 13 août 1994
Cher Lee,
          Je vous remercierai toujours de tout mon coeur,

non seulement pour nous avoir transmis le message de Kryeon, mais encore pour m'avoir fait parvenir cette lettre, car cela m'a permis de faire tout ce qu'il fallait pour obtenir l'implant neutre. Oui, j'en ai fait la demande, et j'ai noté soigneusement tous les détails de mon expérience - en partie parce que je trouvais cette expérience extrêmement fascinante, et en partie dans l'espoir que mon témoignage pourrait en aider d'autres un jour. Sans aucun doute vous êtes très occupé; alors, je serai brève. Tout au long du mois, à compter de la nouvelle lune qui a eu lieu le 11 avril, j'ai fait des demandes quotidiennes tel que Kryeon le recommandait. (Le nombre 11 se répétera tout au long du processus! C'est en outre la date de mon anniversaire.) Dans un premier temps, rien ne se produisit bien que, la nuit précédant ma requête, j'eusse rêvé profondément d'une merveilleuse lumière, de beauté et de liberté. Au début du mois de juin, j'ai rencontré à quelques reprises une psychothérapeute extraordinaire. Ses séances de travail m'ont beaucoup aidée à approfondir mes sentiments par rapport à l'implant neutre. Je transporte une grande quantité de vieilles souffrances incarnationnelles et de retenue. J'ai réalisé que je désirais tellement recevoir l'implant neutre que, pour moi, cela représentait la seule raison de vouloir rester sur cette planète. Je ne veux pas dire que je serais partie autrement mais bien que c'était la seule chose que je pouvais entrevoir qui me permettrait de vouloir rester.

À ce moment, je me préparais à quitter le Nouveau Mexique pour m'établir en Caroline du Nord. Ma thérapeute me soignait pour le syndrome de la fatigue chronique (je suis certaine que le moment choisi n'est pas une coïncidence), et elle pouvait constater que son travail avec moi donnait des résultats. Mais elle pouvait aussi percevoir d'autres choses qui se passaient et qui n'étaient pas dues à ses traitements - des changements rapides, drastiques dans mes chakras et dans tout mon système d'énergie. Les gens disaient que mes yeux changeaient. Ce que je remarquais surtout, c'était une grande diminution de ma crainte - un grand soulagement, devrais-je dire!

Mes *vieux* guides étaient toujours près de moi lorsque j'arrivai à Asheville, et mes nouveaux guides semblaient plus près. Tout s'est passé très vite (je n'étais jamais venue dans cette ville et je ne connaissais personne). Après une dizaine de jours, cependant, j'étais *installée* - j'avais trouvé une bonne maison où habiter, j'avais acheté une voiture et j'étais prête à me mettre au travail. Tout d'un coup, mes guides ont disparu; de toute évidence, ils avaient attendu, avant de partir, que les choses se soient stabilisées autour de moi. Depuis que j'ai appris à les contacter, je peux toujours sentir leur présence tangible dans le fond de mon coeur lorsque je les appelle; et, en fait, au cours du dernier mois ou presque, cette sensation a été particulièrement forte et poignante. Maintenant - plus rien. J'ai une sorte de sentiment de solitude sans mes guides, car j'avais pris l'habitude de les contacter régulièrement. Je dois admettre, cependant, qu'en général tout va très bien. Je me sens toutefois différente d'avant, même si je sais que le processus ne fait que commencer pour moi.

Voilà donc mon histoire. Je supporte assez bien cette période de transition et je suis en outre assez curieuse de voir ce qui arrivera quand mes nouveaux guides seront en place et commenceront à travailler avec moi. Je suis tellement contente et reconnaissante d'avoir cette information et de pouvoir agir à partir d'elle. Je pourrais remplir toute la page avec des *merci* sans jamais arriver à vous remercier assez, Kryeon et vous. Je n'ai aucune ambivalence et aucun regret d'avoir pris cette décision. Je ne reviendrai jamais en arrière! Je n'aurais jamais pensé que je me sentirais renaître dans cette vie, sans crainte et remplie de joie mais, en ce moment, j'ai l'impression que c'est exactement ce qui m'arrive.

Elora Gabriel
Asheville, Caroline du Nord

2E MOIS - LE PROCESSUS

Le 1er septembre 1994
Cher Lee,
    J'aimerais pouvoir poser une question à Kryeon. Vous savez, tout s'est bien passé pendant plusieurs semaines après le départ de mes guides. Puis, je suis devenue malade; j'ai une infection virale depuis maintenant plus de trois semaines, sans indice de guérison. Cela est très inquiétant pour moi car j'ai besoin d'être en santé pour gagner ma vie. Ce genre de maladie virale qui se prolonge m'est familière : cela me rappelle toutes les années où j'ai souffert du syndrome de fatigue chronique qui détruit le système immunitaire. Je ne peux m'empêcher de me demander si cela fait partie de la transition difficile à travers laquelle plusieurs gens passent avant que leurs nouveaux guides arrivent et se connectent complètement. Je n'ai jamais bien compris ce qui se passait au cours de cette période de 90 jours décrite par Kryeon. Est-ce le temps pendant lequel notre karma *brûle* ou s'anéantit? Ou encore cela se produit-il lorsque les nouveaux guides arrivent et donnent le nouvel implant au terme de la période de

transition de 90 jours??? De toutes façons, si je pouvais poser une question à Kryeon, ce serait la suivante : est-ce que ma maladie fait partie de l'ajustement pour l'implant neutre? Et est-ce que ce malheur cessera de se coller à moi lorsque je recevrai mes nouveaux guides? Ou bien est-ce seulement parce que mon système immunitaire est encore faible? (Je sais que je peux m'adresser directement à Kryeon et je le fais parfois, mais j'ai de la difficulté à recevoir clairement l'information.)

Je poursuis donc avec toute la patience que je peux avoir (ce qui n'a jamais été mon point fort). Ah! comme j'ai hâte au jour où mes nouveaux guides viendront à moi, et où je pourrai sentir leur grand amour et leur énergie, leur puissance et leur compassion! Ah! quel doux message qui me met les larmes aux yeux! Je viens d'entendre qu'ils attendent ce moment avec autant d'impatience que moi.

Une fois de plus, Lee, je n'arrive pas à trouver les mots qu'il faut mais je vous remercie du fond du coeur. Je vous tiendrai au courant. Il y a, c'est certain, des embûches mais c'est tout de même une expérience extraordinaire. Quelle belle aventure!!! Je ne peux pas imaginer que je n'aurais pas relevé ce défi, que je n'aurais pas saisi cette opportunité lorsqu'elle m'a été offerte. Je suis certaine que, comme vous le dites, il y aura encore d'autres changements et d'autres niveaux à maîtriser. Ceux d'entre nous qui comprennent l'ampleur de la vague évolutionniste qui balaie notre planète n'auraient pas fait autrement.

Elora Gabriel

3E MOIS - LE SOULAGEMENT

Le 24 octobre 1994
Cher Lee,

Et bien, j'avais promis de vous écrire et de vous laisser savoir ce qui était arrivé à la fin de mes 90 jours. Viendront-ils... ou ne viendront-ils pas??

Je ne comprends pas encore très bien ce qui se passe au cours de ces trois mois. Dans certains cas, il semble qu'on ait à faire face à un problème particulier qui *surgit* pendant cette période alors que, dans d'autres, on passe à tout le moins tous les problèmes en revue. En ce qui me concerne, j'ai dû passer à travers une incroyable somme de souffrances intérieures. À tel point que je n'ai pas eu un seul moment de répit : j'ai souffert jour et nuit. Dieu que cela faisait mal! Comme Kryeon le mentionne justement, je voulais *en finir* avec cette vie - mais je suis toujours là.

Environ quatre jours avant la date prévue pour l'arrivée de mes nouveaux guides, j'ai eu l'occasion d'avoir une session avec un guérisseur capable de se connecter et d'aller chercher une grande portion d'énergie et d'amour. Je me suis sentie tellement mieux après cela. Je n'arrive pas à le croire. Je suis actuellement heureuse d'être vivante et je me sens beaucoup mieux dans mon corps. Je sais que j'ai encore beaucoup de choses à régler avec lui par rapport aux virus que je transporte, mais je sens que j'ai un regain d'énergie et de force. Une des choses que j'ai réalisées au cours de ces dernières semaines est à quel point mon désir de mourir était profond et datait de longtemps. Comment pouvais-je donc arriver à guérir mon corps alors que je voulais tellement mourir? Je crois que j'ai beaucoup plus de chance de guérir dans l'état où je me trouve maintenant.

Mes nouveaux guides sont arrivés au moment prévu. J'ai demandé à entrer en contact avec eux pour voir s'ils étaient là et, pour la première fois, je ne les ai pas seulement vus mais j'ai pu sentir leur énergie distinctement dans mon corps. Oh oui, il y avait en outre quelqu'un d'autre avec mes trois guides au moment où nous nous sommes *connectés*. J'étais fatiguée à ce moment et ne pouvais percevoir tout cela clairement, mais il y avait une figure d'une lumière blanche qui semblait transporter l'énergie du Christ. Je savais que ce n'était pas l'un de mes guides mais qu'il était là pour aider à la connexion et la transition. Bien sûr, je demande à mes guides de m'aider dans le domaine de la santé, des finances et dans les autres points importants de ma vie.

Le fait de passer à travers la période de 90 jours et de trouver à l'autre bout le cadeau de la santé et mes nouveaux guides qui m'attendaient, a contribué à me rendre plus confiante. En regardant en arrière maintenant, je suis certaine que tout ce qui est arrivé, dont la peur d'avoir le virus du sida par exemple, et par la suite la merveilleuse guérison qui s'est produite à la toute fin de la période de transition, faisait partie de l'expérience et que le moment choisi n'était pas une coïncidence.

Voilà donc mon histoire pour l'instant. Un grand merci d'avoir été là pour me tenir le main au cours de cette période de noirceur, Lee. Cela aurait été tellement plus pénible si vous n'aviez pas été là. Je vous redonnerai des nouvelles et vous ferai savoir comment les choses ont évolué pour moi par la suite. J'espère que vous vous portez bien et que vous expérimentez toute la joie que vous méritez.

Avec tout mon amour,
Elora Gabriel
Asheville, Caroline du Nord

Commentaire de Kryeon : Alors donc, Elora, la trilogie de périodes est complétée, et l'histoire classique de l'implant neutre a pris place dans votre vie. Au cours de cette période, vous êtes non seulement devenue malade, mais vous avez en outre craint d'avoir attrapé le virus qui met fin à tant de vies humaines présentement... et beaucoup de symptômes vous portaient à le croire!

Vous étiez épuisée au point de vouloir mourir et, en fait, vous en avez même entrevu l'éventualité. Votre crainte était immense : vous êtes effectivement passée très près de la mort. *Quelle farce* (auriez-vous pu dire) que de contracter un horrible virus mortel sous la couverture d'un merveilleux cadeau spirituel! La souffrance de votre solitude était incroyable et vous aspiriez au soulagement. Ces mots semblent-ils familiers à ceux d'entre vous qui ont lu le premier livre de Kryeon? Vous étiez dans les ténèbres d'un esprit non éclairé et vos meilleurs amis vous avaient abandonnée. Mais, une fois de plus, quelqu'un est entré en scène pour vous aider à passer à travers le processus et a démontré pourquoi les guérisseurs du nouvel âge sont si importants dans le nouveau processus du nettoyage du karma... Il vous a aidée à passer à travers les heures les plus sombres.

Je vais maintenant vous révéler quelque chose, ma très chère, qui pourrait vous couper le souffle. Votre fenêtre d'opportunité pour mettre fin à votre vie était en effet à portée de la main. C'est ce que vous aviez prévu et planifié comme leçon de vie pour vous-même à l'âge que vous avez maintenant atteint. Votre initiative de demander l'implant et l'amour de vos guides est ce qui a complètement changé dans le plan de cette incarnation. Comme un train sombre qui a passé lentement devant vous pendant la nuit, le rendez-vous avec votre propre mort s'est éloigné tout doucement, vous laissant avec ses odeurs et ses sentiments éphémères de la mort elle-même... et toute la crainte qui l'accompagne. La figure lumineuse que vous avez aperçue, celle qui transportait l'énergie du Christ... devinez qui c'était. C'ÉTAIT VOUS! La nouvelle énergie Elora du soi supérieur, faisant une brève apparition pour se montrer elle-même dans l'amour et l'honneur devant la biologie incarnée qui a gagné une importante victoire dans le nouvel âge. Vous demandez-vous maintenant pourquoi on vous appelle les guerriers de la lumière? Si cela n'est pas le commencement de l'ascension, qu'est-ce que c'est?

L'honneur que nous vous réservons ne peut être réalisé dans votre dimension. Vous devrez par conséquent attendre la vraie cérémonie. Mais, lorsque vous le recevrez, je serai là à vos pieds et je vous appellerai par votre nom.

———————

Le 26 septembre 1994
Cher Lee,

Bien que je sois convaincue que vous recevrez une avalanche de témoignages de lecteurs reconnaissants, la gratitude que je ressens pour la *pierre de Rosetta* de l'expérience métaphysique offerte par votre channelling de Kryeon m'a néanmoins poussé à partager sa valeur pour ce Guerrier de la Lumière.

J'ai été initié à l'enseignement de Kryeon par un employé dans une boutique ésotérique d'une manière tout à fait inattendue. Cela s'est produit presque en même temps que certains incidents qui semblaient de toute évidence être des conclusions karmiques. Cela aurait pu être une fois de plus mal interprété comme aurait pu l'être ce matériel s'il n'avait pas été disponible au cours de la même semaine où j'ai pu vérifié la validité de mon rapport relation/réponse.

Je venais tout juste de localiser et de lire *Ageless Body, Timeless Mind* de Chopra (*Corps sans âge, esprit éternel*). J'avais fait mienne l'affirmation de base fournie dans cet excellent ouvrage. La clarification additionnelle fournie par les enseignements de Kryeon a été pour moi la plus miraculeuse explosion théosophique/ philosophique qu'on puisse imaginer. Cela a amené toute la confusion, accumulée au cours d'une vie de tragédies continuelles et de désordres dans mon milieu et mes relations, dans la lumière de la révélation. Je profite maintenant de la sérénité et du bonheur que chaque jour m'apporte. Il m'est impossible de décrire le sentiment de respect qui m'enveloppe. Tout est soudainement au point. Le négatif est conquis et la crainte, bannie de mon esprit. L'émerveillement d'un amour sans limites pour tous est si grand que j'ai l'impression de flotter au lieu de marcher - le fait d'être avec d'autres gens est si agréable que je dois contrôler l'énergie qui se dégage de moi de peur d'être repoussé parce que trop optimiste et heureux.

Ma vie entière est devenue compréhensible. Toutes mes conclusions théosophiques ont été vérifiées. C'est un si grand soulagement d'être finalement assuré que je n'ai pas halluciné les étranges forces qui tourbillonnaient dans la soupe théorique utilisée pour manufacturer notre version du monde. J'ai été souvent ébahi du merveilleux camouflage utilisé pour faciliter nos analyses.

Très jeune, je suis devenu conscient des autres entités autour de moi et je suis certain, à cause de l'intensité de ma réponse émotionnelle face à la vie, qu'ils ont commencé à affecter mon karma presque dès le berceau. Les événements se succédaient si rapidement et si étrangement que je savais qu'il ne s'agissait pas d'une incarnation typique. Tout était définitivement mis en place pour vérifier ma force et mes valeurs morales. Devant tout cela, je me sentais écrasé et battu; j'étais envahi par le négatif et sans espoir. Il semblait que quels que soient les efforts éreintants que je mettais pour me bâtir une vie raisonnable, rien ne me réussissait financièrement ni émotionnellement. Ma détresse était si grande, sans parler du sentiment de folie qui me hantait, que j'ai plusieurs fois tenté de me suicider. Toutefois, malgré tous les soins que j'y mettais, j'étais toujours condamné à échouer... Finalement, j'ai cessé d'essayer la plupart du temps.

Puis, on m'a offert *Kryeon I*. Cela a été miraculeux. D'une certaine façon, ma vie est cependant aussi étrange qu'avant de recevoir l'implant. J'ai entrepris la lecture du premier livre de Kryeon le 3 septembre et celle du second livre, il y a trois jours, soit le 23 septembre. Je suis transformé. J'ai confiance en l'univers et en mes guides pour obtenir ce que je veux et dont j'ai besoin, au moment opportun et de la façon la mieux appropriée. De plus, la crainte chez moi est chose du passé; et, bien que je sois comme plusieurs individus encore aux prises avec leur engagement karmique et peut-être emprisonnés dans le même genre de résidus du contrat en évolution, j'ai la sérénité nécessaire pour faire face à la situation.

Il n'y a aucun doute dans mon esprit : les nombreux éléments avec lesquels j'ai dû me débattre pour acquérir une vue compréhensible du fonctionnement physique du monde sont enfin expliqués par les enseignements de Kryeon. Je n'ai toutefois aucun moyen de vous transmettre convenablement ma gratitude pour votre travail. Je suis en dette envers vous. Sachez toutefois que je suis très reconnaissant envers vousmême et envers Kryeon.

Shy Streahl
Whitefish, Montana

Commentaire de Kryeon (à l'intention du lecteur) : Voilà donc un être cher qui, de toute évidence, a reçu un nettoyage de karma sans <u>aucune</u> mention préalable de ce qu'on appelle *l'implant*. Nous avons inclus cette lettre pour vous donner un exemple du fait que l'implant n'est pas quelque chose qui doive même être appelé *l'implant*! C'est un phénomène naturel de nettoyage de karma à travers lequel cet être cher est passé au bon moment, seulement en ayant l'information de Kryeon qui est venue valider quelques points précis de ce qu'il vivait.

Je vous ai souvent parlé de la paix qui accompagne ce processus et, dans l'ensemble, de la sagesse qui en résulte également. Vous pouvez voir dans cette communication que les deux aspects du phénomène sont en place.

Le 30 novembre 1994
Cher Lee Carroll,

Bonjour. Aujourd'hui et hier ont été deux de ces jours décrits par Kryeon comme pouvant être difficiles lorsqu'on fait appel à l'implant. Je ne suis pas l'une de ceux qui l'ont obtenu instantanément! Aussi inconfortables que les changements puissent être, cependant, cela est très différent d'une dépression ordinaire par le fait qu'elle est chargée d'espoir. La difficulté est perçue comme temporaire, de sorte que la crainte est beaucoup moindre; et, derrière tout cela, on sent la grande poussée de l'amour universel. Le karma passé revient en force. Présentement, je suis en méditation et en larmes. Je suis entrée dans la bulle noire et elle a éclaté. J'ai appelé et appelé Kryeon. Les larmes coulaient abondamment; je sentais l'Amour autour de moi. J'ai commencé mon travail.

Ce que je veux exprimer dans cette lettre est ma propre validation d'un concept du Livre II qui m'a vraiment touchée. C'est le concept qui précise qu'on peut demander l'implant bien avant de s'en rendre compte. Ce qui suit est le récit de mon expérience personnelle qui a commencé six ou huit mois avant que je lise *Kryeon I.*

Je vis dans une grande ville et j'utilise le transport en commun chaque matin pour me rendre à mon travail (toutefois, je suis présentement sans emploi). Je partais pour travailler pleine d'énergie (en ce qui me concerne) mais, lorsque j'arrivais 20 ou 30 minutes plus tard, j'étais très faible et fatiguée. J'avais développé une extrême sensibilité aux odeurs des autres, plus particulièrement aux haleines - et surtout celles des gens qui avaient bu de l'alcool la veille. J'étais aussi très sensible aux autres toxines. J'ai donc commencé à faire des exercices de respiration pendant le trajet et des visualisations pour empêcher les toxines de pénétrer en moi. Cela m'a aidée.

Lentement, après plusieurs semaines, j'ai commencé à prier pour bloquer les toxines, pendant que je descendais la côte pour aller prendre l'autobus (un court trajet). Je connaissais le concept de la Lumière blanche (la plus grande source de protection) et je répétais ma demande de protection. Par la suite, ma requête quotidienne a pris la forme d'un poème ou d'une prière.

Ce poème m'est venu au moment où je lisais les écrits de Kryeon au sujet de la demande de l'implant qu'on pouvait formuler avant même de s'en rendre compte. Je me suis dit : «C'est de mon poème que parle Kryeon!» La *coïncidence* de ce choix de mots ne vous échappera pas, j'en suis certaine.

Il y a deux jours, en songeant à vous écrire, j'ai transcrit sur papier mon poème pour la première fois. La copie que vous avez sous les yeux est la troisième transcription qui ait jamais existé de ce texte.

Lumière blanche
Lumière blanche
Lumière blanche

De grâce faites pénétrer
La lumière blanche en moi

Pour que le positif
m'imprègne
Et que le négatif soit dévié

Et je ferai ma part
Et je ferai de mon mieux

Car je vous aime, mon Dieu
Je vous aime mes guides

Et pour le reste,
Je m'en remets à vous

Laura Grimshaw
San Francisco, California

Commentaire de Kryeon (à l'intention du lecteur) : Voyez une fois de plus les effets résiduels du karma qui disparaissent lorsque l'individu se nettoie et s'équilibre. Si ce processus peut accomplir cela, que pensez-vous qu'il puisse faire avec la maladie de l'homme? Songez au contrôle que vous pouvez avoir sur votre biologie grâce à ce nouveau cadeau! L'élément action utilisé par cet être cher est extrêmement important dans le processus de l'implant. Il est maintenant temps que je vous parle des deux parties de l'expérience de l'implant. Remarquez que, tout au long de cette communication, on a concentré les efforts à combiner l'intention et l'action. L'action est la confiance, l'attente, la vigilance face à l'opportunité et la foi. Dans le processus de l'implant, il y a d'abord l'INTENTION, puis l'ACTION.

Certains d'entre vous ont activement formulé leur intention de participer à l'expérience de l'implant. Puis, il se sont assis et ont vainement attendu que quelque chose se passe. Je vous dirai, mes chères âmes, que, sans action après le nettoyage du karma, la seule chose que vous expérimenterez c'est l'ennui; cela se passera même dans le plus grand calme (humour cosmique). Pour les gens, la clé du succès de toute cette expérience se trouve dans le respect des deux éléments du concept. Tous ceux qui ont communiqué avec mon partenaire ont réalisé cela. Dans l'élément intention, il y a la compréhension de prendre ses responsabilités face au karma que l'on nettoie et la reconnaissance de ce contrat donc, par conséquent, la reconnaissance qu'il y a autre chose à faire APRÈS LE NETTOYAGE.

Achèteriez-vous une chaise juste pour la regarder? La plupart d'entre vous s'assoiront dessus dès que possible. De plus, combien d'entre vous s'assoiront en travers d'elle et la regarderont en se demandant si elle supportera leur poids? La plupart ne se poseront même pas la question; ils s'assoiront sur elle de tout leur poids, immédiatement. Le processus de l'implant est semblable à cela. Quand vous Formulez votre Intention pour le processus spirituel, vous prenez alors la responsabilité de tout le karma qui est nettoyé. Réfléchissez à cela. PRENEZ LA RESPONSABILITÉ de tout ce qui est touché autour de vous par ce processus. Réalisez-vous que vous aviez planifié votre karma et que vous le libérez maintenant? PRENEZ LA RESPONSABILITÉ de la colère qui s'en ira et des situations qui, en apparence, ont fait de vous une victime. Elles vous appartiennent toutes; vous devez par conséquent les POSSÉDER maintenant, pendant qu'elles sont nettoyées. Vous avez dès lors acheté la chaise (formulé l'intention) pour en faire un instrument qui vous permettra d'aller plus loin. Le moment venu, prenez action et assoyez-vous dessus!

PRENEZ ACTION en vous basant sur le fait que vous vous attendez à ce que votre vie change! Quand vous sentez que vous sortez de la période de changements créée par le nettoyage du karma, qu'elle soit facile ou difficile, regardez autour de vous pour redéfinir votre mission et faites des plans en rapport avec les changements que vous attendez. Que croyez-vous qu'il arrivera si vous vous assoyez là tout simplement et attendez que le bonheur vous *tombe* dessus? Vous êtes maintenant en mode de co-création; vous pouvez créer votre propre réalité. Faites-le. Quelle est votre passion, votre mission? Avancez dans la foi, sachant pleinement que vous serez honorés pour les résultats obtenus.

Certains hommes ont confié à mon partenaire que rien n'avait changé dans leur vie après avoir reçu l'implant : ils sont toujours malheureux et pauvres. Ils poursuivent alors en disant... «et je pensais bien qu'il en serait ainsi puisque rien d'autre n'a jamais marché dans ma vie non plus!» Mes très chers, vous êtes énormément aimés, mais vous devez comprendre que, si vous n'attendez rien, vous ne créerez rien. Quand on s'attend à être victime, on se transforme en victime. En fait, vous posséderez votre propre conscience quand vous vous placerez à l'intérieur de sa création. L'Implant est littéral; il honorera vos pensées les plus intimes.

Vous êtes la nouvelle force créatrice sur cette planète; rien n'arrivera si vous n'avancez pas et ne faites pas en sorte que cela arrive. Le nouveau cadeau qui vous est offert est un outil incroyablement puissant tiré de la boîte à outils de la nouvelle énergie. Vous devez toutefois vous en servir, non pas seulement le regarder! Ainsi, les deux éléments du processus vous appartiennent. Le premier est l'intention et le second, l'action. Vous créez d'abord, puis vous utilisez. Les deux éléments exigent du travail de votre part. C'est pour cela qu'on vous appelle *travailleurs*. Ceux d'entre vous qui s'attendent à être honorés sans avoir fourni l'effort nécessaire se retrouveront en fait coincés entre l'ancienne et la nouvelle énergie, et ne seront pas récompensés par les attributs de la vie que vous vous êtes mérités dans le nouvel âge.

Le 22 novembre 1994
Cher Lee,

Nous sommes présentement à quelques jours de l'Action de Grâces, et je vous écris à vous et à Kryeon pour vous exprimer ma profonde appréciation pour votre travail. Je vous ai déjà écrit pour vous faire savoir que j'avais la certitude, après avoir lu le Livre I, d'être passé à travers presque toutes les situations décrites par Kryeon. Après avoir longtemps réfléchi et avoir pesé le pour et le contre, j'ai finalement demandé à graduer. Bien sûr, comme il se doit, j'ai subi la perte de mes guides, la solitude, etc. Cependant, j'ai vécu une expérience absolument extraordinaire qui, j'en suis sûr, est attribuable aux changements. Cela a sans aucun doute changé ma vie!!

J'étais assis en train de lire *Avalanche* de Brugh Joy un après-midi il y a plusieurs mois lorsque, en périphérie de mon champ de vision, j'ai remarqué que quelque chose bougeait. J'ai levé les yeux et j'ai vu sur le mur, de l'autre côté d'où j'étais, un film se dérouler - à mon sujet! Je me suis vu, de derrière, à la hauteur de la tête et des épaules. D'une certaine façon, mon esprit projetait ce film dans ma tête. J'ai vu une sorte de grand serpent d'énergie sombre qui s'enroulait autour de chaque lobe de mon cerveau et qui en couvrait aussi le dessus! À ce moment, je me suis entendu dire: «D'accord, si vous ne faites pas ce que je veux, je m'en vais». Alors, tout l'enfer s'est déchaîné pendant que, presque chaque jour, je recevais de l'information additionnelle sur la façon dont ce que j'appelais une formule de pensée au hasard avait influencé toute mon attitude et ma vie. Je sais maintenant que ce que j'ai visionné était mon empreinte karmique. Je peux maintenant voir quelles étaient mes plus grandes leçons et cette compréhension me permet de me dégager du reste et de progresser. Nous ne pouvons certes plus blâmer personne d'autre que nous-mêmes pour ce que nous faisons; c'est désormais notre responsabilité. Je crois que l'amour dont parle Kryeon, et qui est tellement nécessaire pour notre croissance spirituelle, commence à me remplir maintenant.

Je ne sais comment vous remercier adéquatement, mais j'exprime à Kryeon et à mes guides, tous les jours, à quel point cela me tient à coeur. À propos, mes guides sont finalement arrivés.

Avec toute ma reconnaissance,

D.S.

Tucson, Arizona

Commentaire de Kryeon (à l'intention du lecteur) : Une fois de plus, la libération du blâme semble être la clé de la progression. Cet aspect de la responsabilité est probablement le meilleur moyen d'obtenir des résultats dans la nouvelle énergie et cette chère âme l'a découvert d'une manière exceptionnellement visuelle... d'une manière qui aurait pu la remplir de crainte mais qui, au contraire, lui a apporté de la sagesse. Il y a un autre aspect de la nouvelle énergie que Kryeon ne vous a pas encore mentionné.

L'enfant qui est en vous, comme le désigne mon partenaire, est une très grande source de bonheur humain et de paix, nécessaire en tant que catalyseur pour une véritable transition de la nouvelle énergie dans le processus de l'implant. Vous êtes, en fait, une entité biologique complexe. Plusieurs d'entre vous ont longuement étudié pour comprendre le fonctionnement de l'esprit humain. Toutefois, même ceux qui ne savent rien de la nouvelle énergie reconnaissent et réalisent l'importance de cette portion de vous restée intacte depuis votre enfance.

Vous pensez peut-être que, lorsque vous êtes sortis de l'enfance, tout ce qui se rattachait à cette période de votre vie a en quelque sorte été effacé de votre être et remplacé par une façon adulte de réagir. En fait, la portion de vous qui était le petit enfant que vous étiez existe toujours; elle est une partie vitale de votre potentiel en tant qu'être humain complet. D'un point de vue nouvel âge, tout comme pour la santé humaine en général, cela est très puissant! Laissez-moi préciser.

Vous êtes peut-être portés à penser qu'il n'y a pas grand-chose qui se passe dans l'esprit d'un nouveau-né humain. En fait, il y a un résidu de souvenir extrêmement fort de l'endroit où cette entité se trouvait il y a fort peu de temps, de l'autre côté du voile! Cela prend des mois et des mois à un nourrisson pour *oublier* complètement sa transition biologique. Naturellement le bébé ne peut parler, de sorte que vous entendrez rarement le dialogue qui se déroule en lui-même. «Pourquoi suis-je ici? Qu'est-il arrivé aux autres? Que sont ces nouvelles sensations?» En outre, le jeune enfant ne répond qu'à l'amour. Bien qu'il soit entièrement dépendant des soins des autres à cause de son impuissance biologique, le jeune enfant porte en lui de grandes semences de sagesse et d'amour au cours des premiers mois de sa naissance. Combien de mères ont déjà plongé leurs yeux dans ceux de leur petit pendant les premiers jours de sa vie en lui demandant : «Qui es-tu réellement?» Les yeux de la *vieille âme* brillent ardemment à travers ceux de l'enfant au cours de cette période et plusieurs peuvent facilement voir en eux la sagesse de l'âge et de leurs nombreuses incarnations.

Hélas, comme il se doit, l'enfant *désapprend* lentement qui il est en réalité et se prépare pour les leçons qu'il doit subir en tant qu'humain doté d'un karma. Une partie de ce karma commence dès sa naissance lorsqu'il vient au monde dans des conditions difficiles telles que des luttes familiales ou des situations de guerre. Cependant, la plupart des nouveaux-nés répondent d'abord à l'amour : c'est de là qu'ils viennent et c'est ce qu'ils connaissent le mieux.

Lorsque vous étiez petit enfant, vous n'aviez aucun souci. Votre intelligence, qui est l'élément de l'équilibre humain en cela, n'était pas encore en opération. Tout ce dont vous aviez besoin était pris en charge par votre mère et tout ce qui vous importait, de toute évidence, avait rapport au jeu. Non seulement vous ne pensiez qu'à jouer mais, en outre, votre mère rehaussait votre plaisir en jouant avec vous, en vous lisant parfois des histoires et, souvent, en vous serrant tout simplement dans ses bras pour vous réconforter. Certains diront : «Ah, comme c'était le bon temps! Juste à y penser... Comme ce serait bon de profiter encore de cette paix!» Comme prévu, je vous dis que c'est exactement le genre de paix que l'Esprit vous offre aujourd'hui.

Lorsque vous êtes séparés de votre soi supérieur pendant que vous êtes en leçon, votre être se souvient avec nostalgie de la maison, de l'amour et des soins de la mère, qui est l'Esprit lui-même. C'est un sentiment de séparation et d'éloignement par rapport à quelque chose de beaucoup plus grand dont vous vous rappelez d'une certaine manière et que vous désirez ardemment retrouver. «Où cet attribut peut-il être rallumé pendant que nous sommes ici?» me demanderez-vous. La réponse se trouve en l'enfant qui est en vous. Profondément enfoui à l'intérieur de chacun de vous, l'enfant que vous étiez est toujours là, intact et prêt à resurgir. La plupart des humains ne sont pas prêts à cela, cependant, ou ne le veulent pas. Laisser l'enfant sortir du fond de soi-même, c'est vraisemblablment revenir en arrière pour certains et nier la maturité de l'adulte qu'ils sont devenus. Chez plusieurs, en outre, l'enfant est enfoui si profondément qu'il ne peut sortir sans aide. Il est effrayé par le dialogue interne de l'adulte qui parle toujours fort de choses négatives et de craintes à venir. L'enfant qui est en vous entend tout cela et réagit exactement comme un véritable enfant le ferait si vous lui disiez qu'il est indigne et mal aimé.

Pourquoi alors devriez-vous laisser sortir l'enfant? La réponse est : ÉQUILIBRE! Nous parlons réguliè-rement de l'équilibre humain et, maintenant, nous vous disons qu'il possède une caractéristique sur laquelle vous pouvez immédiatement travailler pour améliorer votre vie. L'équilibre n'est pas un attribut oisif et il vous est absolument nécessaire pour avancer dans votre travail. Au cours du processus, non seulement des changements chimiques naturels et sains prendront place dans votre cerveau et votre coeur, mais encore vos cellules se souviendront de l'endroit d'où vous venez... et du bien-être dans lequel vous baigniez. Cela sert surtout à vous rappeler qui vous êtes et quelle place vous occupez dans le cosmos. Trop magnifique, pensez-vous, pour un enfant? Vous n'avez aucune idée à quel point cela est important! Cachée en chacun de vous, il y a une reproduction de qui vous êtes et de pourquoi vous êtes ici. L'enfant qui est en vous est la porte d'entrée de cette révélation.

Comment arriverez-vous à faire cela? Certains d'entre vous trouveront cela facile, d'autres auront besoin d'aide. Ceux d'entre vous qui aiment rire régulièrement et jouer trouveront cela facile de faire avancer l'enfant et de le rendre abordable. Apprenez à jouer avec ce qui vous rend heureux sans toujours penser à vos reponsabilités d'adulte. Réservez-vous du temps pour faire des choses agréables et ne vous punissez pas parce que vous les faites au lieu de travailler! Trouvez d'autres gens qui partageront vos activités (les enfants aiment jouer avec d'autres enfants). Apprenez à vous détendre en éloignant la pression qui vous maintient dans l'attitude adulte d'inquiétude et de dépression. **L'enfant en vous est le secret de la guérison de l'adulte déprimé.** Surveillez les enfants lorsqu'ils jouent! Rappelez-vous intuitivement le sentiment d'une telle liberté, à l'abri de la pression de la vie. Est-ce parce que les enfants sont naïfs? Non, c'est parce qu'ils se sentent en sécurité, entourés de l'amour de leur mère, et savent qu'il n'y a pas de problème qui ne puisse être *réglé* rapidement... les mères sont toujours là pour cela.

L'enfant traumatisé, par contre, est un enfant déprimé. Ce n'est pas un état naturel mais vous pouvez l'observer chez un enfant qui a vécu une tragédie humaine. C'est un petit être qui s'est retiré en lui-même et qui n'est pas *présent*. C'est exactement ce qui peut arriver à l'enfant à l'intérieur des humains qui se disent régulièrement qu'ils sont des victimes et que les choses ne pourront jamais aller mieux pour eux. La conclusion naturelle de cette conversation intime mène à la mort; l'enfant qui se trouve en eux le sait et il est traumatisé par cette éventualité. Comment, alors, certains d'entre vous peuvent-ils faire sortir l'enfant dont ils ont besoin s'il est endommagé et traumatisé? La réponse est : en se faisant aider.

Nous revenons une fois de plus aux gens du nouvel âge qui comprennent et travaillent avec l'enfant qui se trouve à l'intérieur de chacun. Faites-leur confiance, car ils peuvent vous aider, et sachez que l'enfant est naturellement porté à jouer. L'enfant en vous fera rapidement surface si vous êtes disposés à vous ajuster, à verbaliser et à changer votre comportement envers la vie. Celui qui est là pour vous aider sait cela et il vous guidera dans cette direction. L'Esprit a donné à ces guérisseurs une connaissance intuitive pour aider même les plus déprimés des humains en ce moment. Cherchez ceux qui possèdent cette connaissance et n'ayez pas de peur de ce qu'ils feront. Ils sont ici pour vous aider avec la vie elle-même et ils se sont engagés envers la planète pour ce faire. Notez comment, dans tant de cas de transition de l'implant, le facilitateur est présent et prêt à intervenir. Plusieurs de ceux qui vous ont communiqué leur expérience de l'implant en ces pages vous ont parlé de cela. Vous pouvez ainsi profiter de leur témoignage pour voir comment ils sont passés à travers le processus et comprendre sa valeur.

L'Esprit vous offre le cadeau du processus de l'implant, un attribut spirituel qui se produit naturellement et nettoie votre karma à l'intérieur de votre temps de vie. Vous devez d'abord avoir l'intention de recevoir ce cadeau, puis prendre la responsabilité de l'action appropriée. Une partie de l'action est de devenir consciemment équilibré. L'information pour y arriver se trouve tout autour de vous, y compris à l'intérieur des pages de cette communication. Avoir l'intention de recevoir l'implant entraînera automatiquement des changements et un nettoyage. Par la suite, vous vous assoirez dans un endroit neutre avec la possibilité de choisir ce que vous ferez ensuite. Si vous ne faites que vous asseoir là, vous devenez une porte ouverte à la création d'une autre interaction karmique. Vous devez alors donner consciemment votre accord pour l'action, et le travail qui concerne l'enfant qui se trouve en vous fait partie de cette action.

Kryeon vient à vous dans un esprit d'amour incroyable et il apporte une grande appréciation pour votre travail. Plusieurs *sentent* l'amour de l'Esprit dans ce travail et ont instantanément le sentiment de se retrouver *à la maison.* Lorsque je participe, par l'intermédiaire de mon partenaire à une rencontre avec d'autres humains, l'énergie que nous apportons est plusieurs fois aussi puissante que celle qui peut être ressentie par un homme seul. C'est pourquoi nous avons demandé à mon partenaire de continuer à répandre cette énergie dans plusieurs endroits de votre continent, et d'amener la parole là où il se doit. Même longtemps après que les changements de la Terre prévus dans la mission de Kryeon seront complétés, j'ai demandé à mon partenaire de continuer de porter cette énergie plus en avant. Je serai toujours là, avec vous, même si mon travail est terminé. Cela est dû aux changements que vous accomplissez à chaque jour. Ces changements permettent la continuation de ce travail de channelling et donnent la possibilité à mon partenaire de vous apporter l'énergie du nouvel âge que nous avons pour vous.

À l'intérieur de la grande énergie d'amour, lors d'une transmission en direct, nous parlons individuellement aux cœurs de ceux qui sont présents et la guérison s'accomplit. Nous vous transmettons des témoignages et des exemples de *chemins à parcourir* car nous savons que les humains comprendront et réagiront à cela. Dans ce processus beaucoup est appris et cela permet à l'âme de se détendre. Souvent certaines personnes, même si elles ne se rappellent jamais des mots prononcés par mon partenaire lors des conférences, accomplissent un grand travail de lumière! C'est notre très grande admiration envers vous qui vous assure que nous serons là à chaque fois que mon partenaire organisera un tel événement, et nous lui avons demandé de le faire souvent.

Nous souhaitons que vous arriviez à faire sortir les sentiments cellulaires de l'enfant qui se trouve en chacun de vous et que vous jouiez avec lui pendant tout le temps que vous passerez avec Kryeon (seul ou en groupe). Ces sentiments encouragent la paix et diminuent la crainte. Ils supportent votre humanisme et vous procurent une courte pause au cours des leçons que vous recevez sur cette planète. Ils suspendent le temps et le vieillissement et vous placent face à face avec votre soi supérieur... lorsque vous les laissez faire. Nous vous aimons tous si tendrement...

Kryeon

**Lee Carroll à Montréal
le samedi 12 avril 1997**

Plus de 500 personnes réunies à Montréal pour recevoir les enseignements de Kryeon. Un très beau succès qui illustre bien l'éveil spirituel à l'œuvre au Québec.

**Lee Carroll de retour
à Montréal en avril 1998**

**Il sera également en France
en avril 1998**

Pour plus d'informations, n'hésitez pas à nous contacter à l'adresse suivante :

Ariane Éditions
1209, ave. Bernard O., bureau 110,
Outremont, Qc. Canada.
Tél.: (514) 276-2949
FAX : (514) 276-2141

Je remercie les nombreuses personnes qui m'ont encouragé pendant la rédaction de ce premier livre. Vous pouvez certainement imaginer comment je me sentais en tant que non-métaphysicien quand soudainement j'ai été chargé de channeler l'information d'une source dont j'ignorais même l'existence avant de commencer ce livre.

Croire aux prémisses de ce livre... qu'un maître magnétique en provenance de l'univers travaille sur Terre et fournit de l'information par mon intermédiaire dépasse vraiment la logique de l'esprit humain.

Je recommande donc à ceux qui lisent ces lignes et n'y accordent pas foi, d'essayer de garder un esprit ouvert au sujet de la spiritualité. Il n'est pas nécessaire que vous embrassiez quelque doctrine spirituelle pour être un individu valable et utile sur la Terre... mais ne fermez pas la porte à votre intuition... et peut-être éventuellement vous poserez-vous des questions et prendrez-vous des décisions bien avant d'être cloué sur votre lit de mort. Il y a vraiment place pour ce genre de réflexion dans nos vies, et bientôt elles feront partie de notre science. Personne ne vous reprochera d'avoir été curieux.

Merci à quelques-uns parmi tant d'autres...
qui ne se rendent même pas compte à quel point ils ont été utiles.

Jan Tober   *Dr. Barbra Dillenger*
Michael Makay   *Dr. Frank Alper*
Kyle Mathews   *Barbra Marino*
Jim Marino   *Garret Annofsky*

Un remerciement spécial à Rose-Marie Mukarutabana, Roger Ankri et Christine Lannes pour leur travail à faire connaître cet enseignement en français à Abidjan, en Côte d'Ivoire, bien avant la parution de cette traduction

Merci
Lee Carroll

Sujets du Livre II

Personne n'aurait pu être plus surpris que moi lorsque j'ai reçu ces premiers écrits de Kryeon. Cela m'a conduit à des centaines de lettres, de guérisons et d'éveils spirituels. Le pouvoir de la vérité semble passer à travers la rhétorique et l'hyperbole de nos vies quotidiennes comme un laser... nous émouvoir à un très haut degré et nous forcer à nous souvenir.

Si vous lisez ces lignes et sentez que Kryeon s'adressait à vous personnellement... vous n'êtes pas les seuls. Si vous lisez ces lignes et sentez l'amour de l'Esprit qui vous enveloppe... vous n'êtes pas les seuls. Si vous vous sentez différents d'une certaine manière, comme si ces écrits avaient changé quelque chose en vous... vous avez raison. Il y a quelque chose de spécial qui se passe ici pendant que vous lisez et absorbez ces communications d'amour. Il y a une partie de vous-mêmes qui se rappelle «d'où elle vient» et réagit à cela. Pouvez-vous imaginer ce que je peux ressentir en accomplissant cette tâche?

Je ne peux tout simplement pas m'arrêter d'écrire maintenant. Ce livre est le premier de plusieurs qui verront le jour au fur et à mesure que l'information sera transmise. Actuellement, le second livre est presque terminé et sera publié prochainement. Il traite des questions que j'ai formulées moi-même et d'autres qui m'ont été communiquées par les lecteurs du premier volume à propos du mécanisme du monde et de la signification de ce que nous voyons autour de nous. On demande à Kryeon par exemple :

♦ Parlez-moi de Solara
♦ Comment fonctionne le karma de groupe?
♦ Comment faut-il réagir devant la mort?
♦ Pouvez-vous nous donner plus d'informations scientifiques?

♦ Quelle est le fondement de la création...
où se situe-t-il?
♦ D'où nous vient notre essence biologique sur
cette planète?
♦ Pourquoi y a-t-il si souvent une différence entre ce que
nous rapportent les psychiques et les channellers?
♦ Peut-on complètement neutraliser nos déchets
nucléaires?... Et comment?
♦ Parlez-moi de l'extinction importante de groupes
d'humains sur la Terre actuellement... Pourquoi cela est-il?
♦ Est-ce que plusieurs d'entre nous portent un karma plus
lourd que celui des autres?
♦ Comment l'Atlantide et la Lémurie nous affectent-elles
maintenant?... Que s'est-il passé?
♦ Qui vous a envoyé?
♦ Parlez-moi de Ramtha
♦ Qui sont les êtres noirs?
♦ Quel est votre groupe de soutien?
♦ Parlez-moi de Nostradamus
♦ Peut-on découvrir l'antigravité?
♦ De qui relevez-vous directement?

Et plus encore... mais vous pouvez juger par ces questions
que je suis à la recherche des véritables réponses... et je
les ai trouvées! Vous trouverez dans le second livre la
transcription de plusieurs communications en direct aux
«groupes de lumière».

À propos de l'auteur :

Lee Carroll est un homme d'affaires qui, jusqu'à maintenant, n'avait jamais été un métaphysicien actif, ni un auteur. Il a complété une maîtrise en administration des affaires à la California Western University, à Point Loma, en Californie. Âgé de 48 ans, il découvre maintenant ce qui, de toute évidence, constitue sa véritable mission sur la Terre... traduire les enseignements de Kryeon.

Le façon pratique avec laquelle il approche presque tout ce qui est rend cette traduction facile à lire et donne un sens même aux concepts les plus énigmatiques qu'il reçoit au cours des séances de channelling. Il continue toujours à traduire chez lui au sud de la Californie et vous invite à lui transmettre vos commentaires sur vos expériences, suite à la lecture de ce livre, en lui écrivant (en anglais seulement) à l'adresse ci-dessous. Il cherche plus particulièrement à en connaître davantage sur l'implant neutre. Il est présentement à compiler les témoignages à ce sujet.

Vous avez présentement en main la seconde édition du volume I. Une version boudinée (à l'intention des enseignants) a été imprimée antérieurement à celle-ci, en 1992, et distribuée à plus de 1 000 exemplaires. Cette initiative a été mise sur pied en vue de répondre à la grande demande de pré-publication venue de partout à travers l'hémisphère ouest. La publicité de ce livre s'est répandue par la voie du bouche à oreille de la part de ceux qui ont trouvé pertinente à ce moment de leur vie l'information qu'il contenait.

The Kryeon Writings
1155 Camino Del Mar #422
Del Mar, California 92014